Guide des Annuelles & Vivaces

Ann Reilly
Maggie Oster

MODUS VIVENDI

Publié par:
Les Publications Modus Vivendi
3859, autoroute des Laurentides
Laval (Qc) H7L 3H7

Infographie de l'édition française: Jean-François Héroux
Coordination, révision: Sabine Cerboni
Traduction: Michelle Bachand
Crédits photographiques: Tous droits réservés.

Dépôt légal: 1er trimestre 2000
Bibliothèque nationale du Québec
Bibliothèque nationale du Canada
Bibliothèque nationale de France

Données de catalogage avant publication (Canada)
Oster, Maggie
Guide des annuelles et vivaces
Traduction de: How to plant and grow annuals and perennials.
Comprend un index
ISBN: 2-921556-61-8
1. Horticulture d'ornement. 2. Plantes annuelles. 3. Plantes vivaces.
I. Reilly, Ann. II. Titre
SB404.9.O8714 2000 635.9 C99-941455-0

Imprimé à Singapour

Table des matières

Annuelles

Vivaces

Les Annuelles

PRÉFACE DE LA SECTION DES ANNUELLES

LES FLEURS ANNUELLES DONNERONT à votre jardin l'aspect que vous recherchez. Sans égard pour la température, l'endroit ou la durée de la saison de croissance dans votre région, vous trouverez un vaste choix d'annuelles qui embelliront votre jardin. Dès le début du printemps, avec l'émergence des pensées, les annuelles apportent leur beauté, qui s'étend aux mois d'été les plus chauds alors que les œillets d'Inde et les zinnias éclatent de couleur. Les journées d'automne aussi en profitent lorsque le chou frisé décoratif ajoute de nouveaux tons aux feuilles tombées.

Les annuelles servent à délimiter des espaces ou à les accentuer. Aussi, elles unifient de grandes sections du jardin, tout en pouvant l'agrandir ou le rapetisser. Le plus petit jardin de cour ou le balcon perché au-dessus d'une rue s'embellissent par des jardinières chargées de fleurs aux couleurs vives. De plus, des fleurs coupées illuminent un intérieur pendant plusieurs mois. Enfin, l'intérêt des fleurs annuelles réside dans la diversité de couleurs qu'elles apportent en harmonie avec vos changements d'humeur. Une année, stimulez-vous par des plates-bandes de fleurs rouges, jaunes et orangées et l'année suivante, accueillez le calme avec des tons pastels de bleu, violet, blanc et gris.

CI-DESSOUS À GAUCHE:
La combinaison des bégonias tubéreux et des lobélies forme une bordure de couleur vive et forte mettant en valeur les arbustes et le muret de pierres.

CI-DESSOUS À DROITE:
Quelques variétés d'œillets d'Inde dorés adossés à des zinnias orangés apportent de la chaleur à ce coin de repos aménagé au milieu de grands arbres.

CI-DESSOUS:
Les bégonias tubéreux émergeant des jardinières reflètent la gaieté de cette plate-bande de balsamines située à l'entrée d'une cour ombragée et de son jardin.

PAGE DE DROITE, EN HAUT:
La clôture obligatoire autour d'une piscine devient un atout lorsqu'elle est joliment peinte en blanc et agrémentée de jardinières de plantes tropicales ainsi que d'une haie basse formée de bégonias cirés rose vif.

PAGE DE DROITE, EN BAS:
Un massif de zinnias parsemé de célosies constitue un bon approvisionnement en fleurs coupées et rehausse le mur devant lequel il est planté.

CI-DESSUS:
Cette délicate plate-bande contenant des œillets d'Inde, des zinnias, des pétunias et des bégonias cirés doit être plantée au printemps après que tout danger de gel soit passé.

CI-CONTRE:
Une des plus grandes qualités des annuelles provient de leur diversité. Ici, les lobélies, les géraniums et les zinnias s'unissent pour constituer un joli petit jardin en pot.

Définition d'une annuelle

Techniquement, une annuelle est une plante qui croît, fleurit, produit des semences et meurt en une saison. Certaines vivaces délicates et bisannuelles qui ne survivraient pas aux mois d'hiver, mais qui poussent et fleurissent dans une seule saison de croissance, sont aussi considérées et cultivées comme des annuelles.

Les annuelles se divisent en trois catégories. D'abord, les annuelles délicates ne résistant pas au gel seront plantées lorsque tout danger de gel sera passé, au printemps, croîtront pendant l'été et mourront au premier gel d'automne. Ensuite, les annuelles semi-rustiques, même si elles ne résistent pas au gel, pousseront bien pendant un printemps frais ou à une température automnale. Enfin, les annuelles rustiques supportent un certain gel et seront plantées soit tard en automne ou tôt au printemps pour avoir des couleurs hâtives.

CI-DESSOUS:
Une haie de verveine orne une allée et amène le visiteur sous une arche qui débouche dans le jardin.

COMPOSER UN JARDIN AVEC DES ANNUELLES

CI-DESSUS: *Une bordure de cinéraires, où se mêlent des tons de violet et des nuances de rouge, ajoute de la profondeur et de l'intérêt à cette plantation.*

En incorporant des annuelles à la composition de votre jardin, vous devrez tenir compte d'un certain nombre de facteurs: la dimension et la forme des plates-bandes ou des bordures; une localisation qui les avantage; leur association à d'autres plantes; le choix des plantes selon leur dimension, leur forme, les couleurs des fleurs et du feuillage.

Les parterres fleuris doivent être des plantations accessibles et visibles de tous les côtés. Un îlot de fleurs disposé au milieu d'une pelouse en est un exemple. L'importance de la plate-bande variera selon la dimension et l'étendue de la propriété. Elle ne devrait pas occuper plus du tiers de l'espace total de façon à respecter l'harmonie de l'ensemble. Le dessin des plates-bandes peut être conventionnel, c'est-à-dire carré, rectangulaire ou d'une autre forme symétrique dont les côtés sont droits. Les plates-bandes informelles ont des bordures incurvées et sont de forme ronde ou asymétrique. Votre choix sera guidé par l'architecture de la maison et l'aspect général que vous voulez obtenir.

CI-DESSOUS:
Le dessinateur de ce jardin a utilisé au mieux l'espace disponible en intégrant une bordure autour du plan d'eau, une bordure devant le treillis et un ruban de couleur dans les jardinières haut perchées.

À GAUCHE:
La profondeur de cette bordure, composée d'auricules, de bégonias cirés, d'œillets d'Inde, de tibouchinas, de zinnias, de mufliers et autres annuelles, est proportionnelle à sa longueur.

CI-DESSOUS:
Cette bordure est composée de façon à offrir une vue aussi agréable de l'extérieur que de l'intérieur de la maison.

Les bordures sont plantées le long d'un endroit donné et sont accessibles de trois côtés tout au plus. Elles s'adossent à une maison, un mur, une clôture, un groupe d'arbustes ou d'arbres. Afin d'équilibrer la bordure par rapport à son environnement, ne la faites pas plus large que du tiers de sa longueur. Puisqu'on accède aux bordures d'un côté seulement, elles ne doivent pas faire plus d'un mètre et demi, sinon il sera difficile d'y travailler.

L'installation des plates-bandes et des bordures est soumise à certaines règles. Choisissez des endroits où elles seront visibles à la fois de l'intérieur et de l'extérieur de la maison. Les plantations faites devant la maison permettront aux passants et aux visiteurs d'admirer vos fleurs. Aussi, prenez note des éléments existants, comme la maison, les arbres, les allées d'accès, les trottoirs, la délimitation de votre terrain par rapport à ceux de vos voisins et formez les plates-bandes ainsi que des bordures en fonction de ces éléments afin de développer une belle complémentarité.

Votre seule limite sera votre imagination. Plantez des annuelles le long des allées du jardin, devant les clôtures et les murs, le long des patios, des portiques ou des balcons, à côté des bancs de jardin, autour des troncs d'arbres, sous les bosquets, au pied d'un lampadaire. Les annuelles servent à attirer le regard vers un centre d'intérêt du jardin ou camouflent ce qui ne doit pas être vu. Si le jardinage est une nouvelle activité pour vous, commencez par de petites réalisations; vous pourrez ajouter des plantes par la suite.

EN HAUT:
La rose mousse est une plante rampante qui fera un bel effet dans une jardinière suspendue et sur le sol. Cette variété est la Portulaca grandiflora 'Afternoon Delight'.

À DROITE:
Le remarquable feuillage du coléus se présente en plusieurs variétés. Cette plante s'épanouit en jardinière, elle est idéale pour la décoration d'un patio.

Servez-vous des annuelles pour créer des effets spéciaux. La vigne fleurie est insurpassable comme écran temporaire sur des clôtures, des murs, des treillis ou des tuteurs. Elle crée une atmosphère intime ou camoufle des endroits moins jolis, comme un espace de travail ou le coin des vidanges. Dans les espaces récemment aménagés, on peut planter des annuelles à croissance lente qui apporteront un revêtement rapide, pendant que les arbustes vivaces et les recouvrements de sol viennent à maturité.

Les patios sont particulièrement agréables lorsqu'ils sont agrémentés de bordures d'annuelles. Pour enjoliver encore plus ces lieux, installez des jardinières d'annuelles dans les coins, à côté des chaises longues ou le long des marches menant à la maison. Des jardinières remplies de fleurs odoriférantes rendent la vie sur le patio encore plus agréable. Des paniers suspendus remplis d'annuelles égaieront des murs ternes et attireront le regard vers cette couleur.

Vous pouvez planter un jardin spécialement dédié aux fleurs coupées ou, si l'espace ne le permet pas, mettez dans les plates-bandes, et les bordures, des annuelles dont les fleurs feront de beaux bouquets qui illumineront l'intérieur aussi bien que l'extérieur de la maison.

Dans les jardins, vous pouvez utiliser des annuelles pour créer des dessins géométriques ou épeler votre nom. Avant de planter, dessinez le motif sur le sol.

EN HAUT:
Le repas pris sur le patio sera d'autant plus agréable qu'il aura lieu parmi des jardinières d'annuelles colorées.

CENTRE:
Un espace paysager moderne et morne est enjolivé par des jardinières de géraniums rouge vif.

EN BAS:
Le coin ombragé d'un patio est accentué par un grand bac de coléus.

Choisissez des annuelles dont le feuillage ou les couleurs de fleurs contrastent: cela accentuera le dessin. Utilisez des annuelles qui croissent de façon compacte, afin que le motif reste intact pendant toute la saison. Les annuelles qu'il faut choisir pour de semblables dessins sont les bégonias, les œillets d'Inde, les alternanthéras, les alysses, les phlox et la sauge.

La prochaine étape de la création du jardin est de décider quelles annuelles seront plantées. Faites d'abord une liste de celles qui sont adaptées à votre région en comparant les exigences de leur culture par rapport aux conditions climatiques combinant la lumière, la température, les conditions du sol et la disponibilité en eau. Ensuite choisissez celles que vous voulez cultiver. Vous pouvez limiter la liste en gardant à l'esprit la hauteur des plantes, leur forme, le genre de feuillage et la couleur des fleurs qui devront s'harmoniser au dessin de votre jardin. Vous pourrez aussi penser en termes de floraison pour faire des bouquets, des fleurs séchées ou chercher des odeurs particulières.

Certains facteurs entrent en ligne de compte dans la plantation de plates-bandes et de bordures garnies d'un seul type de plante ou d'un mélange. Des petites plates-bandes ou des bordures étroites auront un meilleur effet avec des plantes basses de même type, comme dans les plates-bandes formelles. Dans les plantations plus grandes, une variété de hauteurs est plus intéressante. Les plus grandes plantes seront placées à l'arrière de la bordure ou

EN HAUT À GAUCHE:
Un mur blanc monotone est égayé par des jardinières et des paniers suspendus remplis de géraniums.

EN BAS À GAUCHE:
Les habitudes de croissance compacte et la floraison généreuse des agérates et des bégonias cirés en font un choix parfait pour créer des dessins géométriques.

À DROITE:
Les œillets d'Inde français et les agérates forment différents dessins de couleurs.

PAGE OPPOSÉE, EN HAUT:
Une bordure de zinnias et d'œillets d'Inde convient parfaitement à l'environnement d'un jardin chaud et ensoleillé.

PAGE OPPOSÉE, EN BAS À GAUCHE:
Cette jardinière marie les tons de rouge et de rose des dahlias, des géraniums et de la verveine.

PAGE OPPOSÉE, EN BAS À DROITE:
Le pourpier multicolore au ras du sol forme un joli tapis tout en contraste avec les plantes plus élancées qui en émergent.

À DROITE:
Cette plantation massive de balsamines bicolores rouge et blanche est un bel exemple de l'impact visuel créé par un grand espace recouvert d'une même variété d'annuelles.

CI-DESSOUS:
Dans tout genre de dessin le blanc est efficace. On le voit dans cette masse de vinca où il contraste avec les couleurs vives pour les faire ressortir davantage.

au centre de la plate-bande dans un dégradé s'acheminant vers les plantes basses disposées à l'avant. Plantez les grandes annuelles contre une haie ou une clôture haute dans un dégradé qui cascade jusqu'aux fleurs au ras du sol, sur le devant.

Les trois formes principales des plantes sont: en pointe, rondes ou étendues. Une combinaison de ces trois formes dans une bordure mixte ou une plate-bande est du plus bel effet. Cette même combinaison de formes est très efficace aussi dans des jardinières et sur les rebords de fenêtres.

Le choix des couleurs

La couleur est l'élément clé du dessin d'une plate-bande fleurie. Elle reflète votre personnalité et celle de votre maison. Par exemple, un chaud mélange de rouge, d'orangé, de doré et de jaune est excitant, heureux et joyeux. Il attire l'œil vers le jardin et le fait paraître plus petit qu'il n'est en réalité. Il donne aussi de la chaleur au jardin. Un aménagement froid, composé de tons de vert, bleu, violet et pourpre, est plutôt rafraîchissant, reposant et calme. Il agrandit le petit jardin et réussit bien à cacher des éléments moins intéressants, car il n'attire pas l'attention. Il s'avère le meilleur choix lorsqu'on veut un jardin tranquille destiné à la lecture et à la détente.

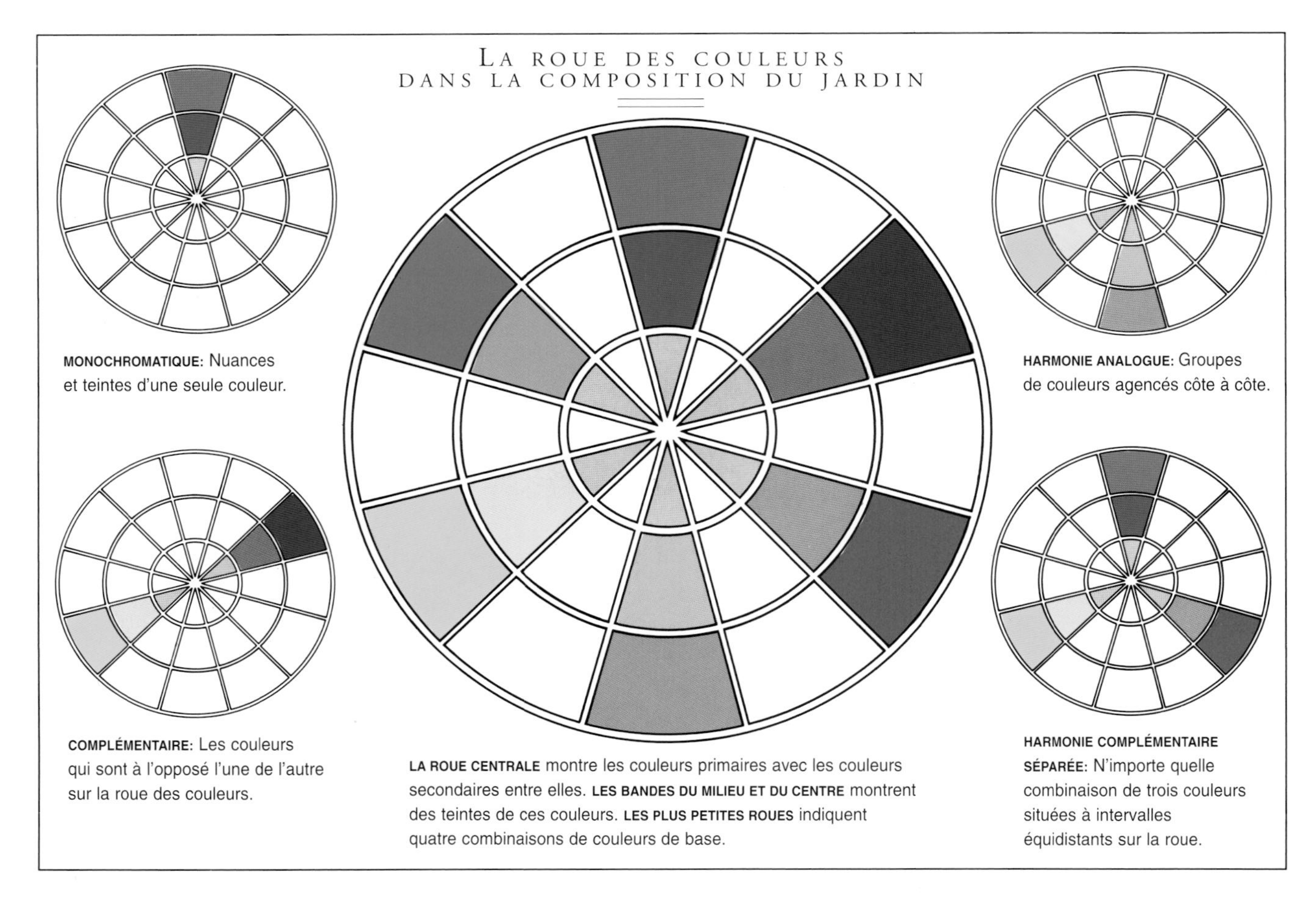

Vous trouverez, dans un magasin de matériel d'artiste, une roue des couleurs qui vous aidera à comprendre comment les couleurs interagissent entre elles. Les couleurs qui sont à l'opposé l'une de l'autre sur la roue, comme le pourpre et le jaune, sont complémentaires. Les deux ensemble constituent une harmonie forte qui pourrait être trop puissante pour un petit jardin, mais très frappante dans un espace plus grand. Dans une harmonie complémentaire séparée, une couleur est employée avec la couleur qui lui est opposée. Dans ce cas, vous pourriez mêler le jaune avec le bleu ou le rouge. L'harmonie analogue est une combinaison qui utilise trois couleurs d'un même rayon de la roue, soit le jaune, le doré et l'orange ou des tons de bleu et de violet.

Il est préférable de commencer avec une couleur prédominante et d'y ajouter une ou deux couleurs différentes tout au plus. Lorsque vous aurez acquis de l'expérience, vous saurez s'il est possible d'ajouter plus de couleurs sans créer un effet dérangeant.

Une harmonie monochromatique est un arrangement qui mêle des nuances et des tons différents d'une même couleur. Afin d'éviter la monotonie, variez les formes et les textures avec différents types de plantes, comme les œillets d'Inde

À GAUCHE:
En plantant ces balsamines en larges vagues de couleur, vous amenez le regard, tout au long du sentier, sur le jardin et vous créez un meilleur effet visuel que si vous aviez mêlé toutes les couleurs. Les couleurs plus claires ressortiront davantage le soir.

EN BAS:
L'ibéride blanche, le vinca et le tabac fleuri s'unissent en une plate-bande attirante dans une harmonie monochromatique.

À GAUCHE:
Les pétunias pourpres plantés le long d'éclatants œillets d'Inde dorés est un exemple de plantation annuelle dans une harmonie complémentaire.

jaunes, les zinnias jaunes et les gazanias jaunes. Vous pourriez aussi choisir un type et une couleur de plante comme les balsamines roses, mais en variant les nuances de rose.

Le rose et le blanc sont d'excellentes couleurs pour un jardin qui sera souvent admiré le soir, parce que les couleurs pâles brillent la nuit, alors que les couleurs sombres se fondent dans l'arrière-plan. Dans un jardin nocturne les tons pastels ajoutent de la visibilité aux allées. Des couleurs vives et foncées sont à leur avantage dans un jardin qui sera souvent admiré sous un soleil vif, parce que les rayons du soleil, quand ils sont forts, ont tendance à affadir les couleurs pâles qui sembleront délavées.

Le blanc peut être employé pour lui-même ou pour produire dans le jardin un effet tampon ou unificateur. Si vous placez seulement une plante blanche ici et là, vous produirez un effet de taches. Il faut donc planter des masses de blanc entre les couleurs ou comme bordure unificatrice devant les couleurs. Les annuelles dont les feuilles sont

blanches, argentées ou grises sont utilisées de la même façon que les annuelles à fleurs blanches.

Avant de faire un choix définitif de couleurs, pensez aux couleurs de la maison, de la clôture ou du mur qui formeront l'arrière-plan de la plate-bande ou de la bordure et assurez-vous de leur complémentarité.

AUTRES FACTEURS DONT IL FAUT SE RAPPELER

Pensez au-delà de la couleur d'une fleur et de la forme d'une plante lorsque vous faites la liste des annuelles. Recherchez aussi la variété dans les textures et les couleurs du feuillage. Certaines annuelles ont un grand feuillage rugueux, alors que d'autres ont des feuilles finement coupées; un mélange de genres de feuillage est très efficace. La plupart des annuelles ont des feuilles vertes, mais chez certaines elles sont rouges, bronze, pourpres, argent ou grises, ce qui peut donner du contraste. Bien que plus délicate que celle des fleurs, la couleur du feuillage devrait aussi être prise en considération dans la combinaison des couleurs lorsqu'on prépare un arrangement.

Les annuelles ne doivent pas nécessairement se retrouver entre elles, bien qu'elles le puissent. Des annuelles à floraison hâtive peuvent être combinées avec des fleurs à bulbe printanières et les annuelles à floraison estivale sont très efficaces lorsqu'on les mélange à des vivaces et à des fleurs tendres à bulbe. Plantez des annuelles en bordure ou pour couvrir le sol dans une plate-bande de rosiers ou encore avec des arbustes. Les annuelles peuvent aussi être amalgamées à un jardin de fines herbes et à un potager, pour y mettre plus de couleurs et d'intérêt.

Pensez à la quantité de soins que vous êtes disposé à apporter au jardin. Si vous avez peu de temps, choisissez des annuelles ne nécessitant pas de pinçage et qui ne sont pas

sensibles aux problèmes d'insectes ou aux maladies. Aussi, les fleurs qui se détachent proprement lorsqu'elles tombent, vous évitent de couper les fleurs fanées. Les annuelles qui nécessitent le moins de soins sont l'agérate, le baume, le bégonia, le browallia, l'ibéride, la célosie, le coléus, le dianthus, l'auricule, le chou décoratif et le chou frisé, la marguerite gloriosa, la balsamine, la kochia, la lobélie, le mimulus, le cresson de fontaine, la nicotine, le phlox, le pourpier, la sauge, le tibouchina, l'alysse odorante, la torenia, le vinca. Cherchez aussi dans la section encyclopédique les plantes identifiées comme étant de soin facile.

Lorsque vous choisirez des variétés d'annuelles, vous verrez que certaines sont vendues comme faisant partie de 'séries'. Par exemple, il y a les balsamines 'Super Elfin', les pétunias 'Madness', les œillets d'Inde 'Boy', et les géraniums 'Sprinter'. Les séries contiennent des plantes possédant des habitudes de croissance similaires, une même dimension mais des couleurs très variées. À cause de ces caractéristiques, il est préférable, lorsque vous plantez différentes couleurs de la même annuelle, de choisir des plantes provenant de la même série. Elles auront une apparence plus uniforme et seront plus jolies dans le jardin.

PAGE OPPOSÉE, EN HAUT À GAUCHE:
Les fleurs blanches de l'ibéride ajoutent une pureté rafraîchissante et se démarquent dans la plate-bande de paillis.

PAGE OPPOSÉE, EN HAUT À DROITE:
Le feuillage argenté de l'auricule apporte une note théâtrale à ce jardin, à la fois par sa couleur et par l'aspect de dentelle de ses feuilles.

PAGE OPPOSÉE, EN BAS:
Les annuelles peuvent se mêler aux légumes pour leur donner de l'effet. Ici, le vinca rose fait se refléter la couleur du chou rouge.

À DROITE:
Une étroite bande de balsamines colore la bordure d'arbustes pour en prolonger l'intérêt après leur floraison.

COMMENT CULTIVER LES ANNUELLES

IL N'EST PAS DIFFICILE d'avoir un magnifique jardin d'annuelles dont vous pourrez profiter et vous enorgueillir. Un bon départ est essentiel: ne lésinez pas sur la préparation du sol. Lorsque cette tâche est sous contrôle, concentrez-vous sur la plantation de jeunes plantes et l'entretien courant: fertilisation, arrosage, épandage de paillis, désherbage, contrôle des insectes nuisibles et nettoyage du jardin. Si vous aimez faire démarrer les plantes vous-même et que vous en avez le temps, vous pouvez faire pousser vos propres annuelles à partir de semences ou de boutures, et ainsi en tirer une véritable satisfaction sans compter que vous ferez des épargnes substantielles. Si vous décidez de commencer ainsi, ce sera probablement la première activité que vous ferez en vue d'un jardin, parce que les ensemencements et le bouturage doivent habituellement être entrepris avant que la terre du jardin ne soit prête à les recevoir.

CULTIVER DES PLANTES À PARTIR DE SEMENCES

Ensemencez et bouturez vos plantes en hiver et tôt au printemps, dans la maison, est économique, constitue un défi intéressant et est la seule façon de faire pousser certaines variétés particulières. Bien que plusieurs semences d'annuelles peuvent être semées directement dans le jardin, en les faisant démarrer à l'intérieur vous leur donnez un coup de pouce et vous aurez une floraison plus rapide.

CI-DESSUS:
Lorsque vous transplantez les jeunes plants ayant poussés dans des bacs, servez-vous d'une cuillère ou d'une spatule, comme illustré ici, afin de soulever doucement les racines du terreau.

À GAUCHE:
Manipulez toujours le jeune plant par ses feuilles, jamais par sa tige. En cas de dommage accidentel, une nouvelle feuille peut pousser, mais le plant ne survivra pas si la tige est brisée.

À DROITE:
Transplantez les jeunes pousses dans des contenants individuels aussitôt qu'ils ont deux paires de vraies feuilles, au moment où elles devraient avoir un bon système de racines, comme on le voit ici.

Vous pouvez acheter des bacs faits de mousse de sphaigne pressée ou de plastique ou encore les fabriquer à partir de contenants de lait, de moules en aluminium, d'assiettes de mets congelés. Un contenant peut avoir n'importe quelle dimension, mais il devrait être d'une profondeur de 6 à 7,5 cm afin que les racines s'y développent bien.

Les contenants doivent être absolument propres et avoir des orifices de drainage dans le fond. Si vous réutilisez un contenant, lavez-le à l'eau et au savon puis rincez-le avec une solution d'eau de Javel à 10 % et d'eau. Ne vous servez jamais une seconde fois d'un contenant en mousse de sphaigne pressée pour y planter des semences, car vous ne pourrez pas le nettoyer à fond et des germes de maladie peuvent s'y loger.

Les grosses semences et celles des annuelles qui sont difficiles à transplanter devraient être ensemencées dans des contenants individuels faits de plastique ou de mousse de sphaigne pressée. De cette façon, les racines seront peu dérangées durant la transplantation, surtout si vous utilisez des contenants de mousse de sphaigne pressée, car le contenant peut être planté; ainsi les racines transperceront la mousse. Ces annuelles particulières sont indiquées dans la section encyclopédique.

Le terreau d'ensemencement peut être acheté, comme les mélanges à base de terre grasse conseillés pour démarrer la semence. Vous pouvez aussi faire le mélange vous-même. Un bon mélange maison est constitué de deux parties de mousse de sphaigne, d'une partie de sable d'horticulture et de trois parties de terre stérilisée (soit achetée, soit stérilisée dans le four ou par vapeur dans un pot). Ne prenez jamais de la terre provenant directement du jardin pour l'ensemencement dans la maison, parce que le drainage ne se fera pas aussi bien qu'avec un sol préparé et qu'elle pourrait contenir des insectes et des maladies. La majorité des ensemencements sont faits de six à huit semaines avant la plantation à l'extérieur. Les exceptions à cette règle sont le bégonia, le coléus, le dianthus, le géranium, la balsamine, la lobélie, la pensée, le pétunia, la sauge (salvia) et le muflier qui, tous, demandent entre dix à douze semaines.

La plupart des semences peuvent être plantées telles quelles, mais quelques-unes germent mieux lorsqu'elles sont d'abord refroidies ou trempées ou entaillées afin d'amollir leur revêtement. Consultez pour cela les listes qui suivent et la section encyclopédique. Enfoncez de 6 cm la semence humidifiée dans le contenant. Les jeunes plants sont sensibles à une maladie appelée la fonte des semis. Lorsqu'elle se manifeste, les plants se fanent soudainement et meurent. Afin de prévenir cette situation, servez-vous uniquement de contenants lavés à l'eau chaude savonneuse additionnée de quelques gouttes d'eau de Javel et rincez-les bien. Utilisez des semences fraîches et ne prenez pas de compost ayant déjà servi pour faire démarrer les semences. Ces précautions minimiseront les risques de fonte des semis. Si vous voulez vous assurer de bien protéger vos jeunes plants, arrosez la terre avant d'ensemencer. Utilisez une solution de fongicide benomyl ou thiram et laissez agir pendant une heure ou deux avant de planter, afin que le mélange ne soit pas trop trempé.

Les jeunes plants seront plus faciles à manipuler si les semences sont placées en rangées, ce qui sera difficile avec

À DROITE: *Les semences doivent être réparties dans chaque compartiment de façon à ce qu'il y ait une seule plante par section.*

de petites semences qui peuvent être répandues sur toute la surface du mélange. À l'exception des semences qui nécessitent de la lumière pour germer (elles sont indiquées dans la section encyclopédique et dans les listes qui suivent) et des très petites semences, recouvrez très légèrement les semences d'un mélange suffisamment humide. Les semences qui ont besoin de lumière pour germer et les très fines semences ne doivent pas être recouvertes, mais doivent plutôt être pressées dans le mélange avec les mains ou par une légère vaporisation d'eau.

Après la plantation, placez tout le contenant dans un sac de plastique transparent. Installez le contenant dans un endroit bien éclairé mais pas en plein soleil et donnez-lui de la chaleur par en dessous afin de stimuler la germination.

Vous pouvez vous servir de câbles chauffants appropriés, achetés dans un centre horticole, pour chauffer le dessous du contenant ou encore vous pouvez placer le contenant dans un endroit chaud, comme le dessus du réfrigérateur.

Certaines semences fines nécessitent de l'obscurité pour germer. Puisque ces semences ne doivent pas être recouvertes de terre à empoter, placez le contenant dans un sac de plastique noir jusqu'à ce que la germination ait lieu.

Les semences nécessitent des soins jusqu'à ce qu'elles germent. Si une humidité excessive s'accumule dans le sac, ouvrez-le et laissez le mélange sécher légèrement. Lorsque les semences ont germé, enlevez le sac de plastique et placez les contenants devant une fenêtre ensoleillée, une serre, sous des lumières fluorescentes ou sous un éclairage spécial qui s'allume automatiquement pendant 12 à 16 heures par jour. Lorsque les jeunes plants arboreront deux paires de feuilles, ils doivent être éclaircis ou transplantés dans des contenants individuels afin que leurs racines aient suffisamment d'espace pour grandir.

Pendant la période de croissance, gardez les contenants bien humides mais pas détrempés. L'arrosage par le dessous est le meilleur, car il ne déplace pas les jeunes plants et leurs minuscules racines. Commencez à fertiliser hebdomadairement avec une solution faible (un quart de force) de fertilisant liquide.

Environ une semaine avant la date de plantation à l'extérieur, commencez à placer les plantes à l'extérieur durant la journée, et ramenez-les à l'intérieur pour la nuit, afin de les fortifier et de les habituer à l'environnement extérieur. Consultez la section suivante, concernant la plantation, pour trouver les informations sur la transplantation dans le jardin.

Plusieurs semences peuvent être démarrées directement à l'extérieur, dans les plates-bandes et les bordures où elles pousseront; certaines se démarrent mieux ainsi parce qu'elles n'aiment pas être transplantées. Le terreau doit être préparé en premier (lisez la section sur le terreau) et les semences plantées selon les indications de l'empaquetage. Après avoir planté les semences, affermissez la terre autour d'elles avec vos doigts. Le terreau sera constamment humidifié jusqu'à ce que les semences aient germé. Puisque les mauvaises herbes qui poussent sont facilement confondues avec les jeunes plants, il est préférable de planter les semences en rangs droits et de les marquer soigneusement. Désherbez la plate-bande régulièrement parce que les mauvaises herbes poussent vite et peuvent priver les jeunes plants de lumière, d'eau et de nourriture. Lorsque les semences ont poussé et qu'elles possèdent deux paires de feuilles, elles devraient être éclaircies pour respecter les espacements indiqués dans la section encyclopédique. Les plants enlevés peuvent être transplantés dans une autre partie du jardin ou donnés à d'autres jardiniers.

CULTURE DES ANNUELLES À PARTIR DE BOUTURES

Certaines annuelles peuvent être cultivées à partir de boutures de tiges à la place ou en plus des semences. Dans cette catégorie, les meilleures sont les balsamines, les balsamines de Nouvelle-Guinée, les géraniums, les géraniums lierre, les coléus. Les boutures peuvent être faites en automne afin de laisser pousser ces plantes à l'intérieur en hiver ou en utilisant des plantes d'intérieur matures, afin de créer de nouvelles plantes pour le jardin.

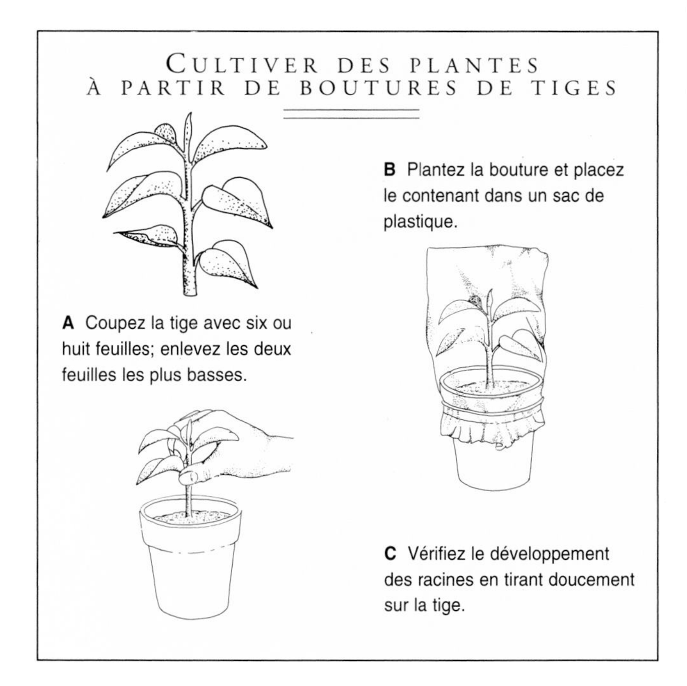

CULTIVER DES PLANTES À PARTIR DE BOUTURES DE TIGES

A Coupez la tige avec six ou huit feuilles; enlevez les deux feuilles les plus basses.

B Plantez la bouture et placez le contenant dans un sac de plastique.

C Vérifiez le développement des racines en tirant doucement sur la tige.

Pour produire des racines à partir d'une bouture de tige, coupez un morceau de tige possédant de quatre à huit feuilles. Enlevez les deux feuilles inférieures et insérez la portion de la tige sans feuille dans un contenant garni d'un mélange exempt de terre et déjà humide. L'application d'une poudre hormonale stimulant les racines à l'extrémité inférieure de la bouture accélérera la formation des racines.

Lorsque la bouture est en place, glissez le contenant dans un sac de plastique transparent et installez-le dans un endroit chaud, bien éclairé, mais pas directement au soleil. Vérifiez la formation de racines après quelques semaines en tirant doucement sur la tige. Si elle offre de la résistance, les racines sont bien formées et le sac de plastique peut être enlevé. Si la tige bouge librement, les racines sont encore inexistantes. Remettez la bouture dans le sac de plastique et testez-la à nouveau après quelques semaines.

Bien enracinée, la bouture peut être plantée dans le jardin ou laissée à l'intérieur, devant une fenêtre ensoleillée.

Semences nécessitant de la lumière pour germer: agérate, muflier, bégonia, chou décoratif, browallia, poivrier ornemental, coléus, coréopsis, gaillarde, gerbera, immortelle, balsamine, alysse odorante, giroflée des jardins, nicotine, pétunia, sanvitalie rampante, sauge à fleur rouge, tournesol mexicain.

Semences qui ont besoin d'obscurité pour germer: calendula, vinca, renoncule double, gazania, pois de senteur, nemésie, pavot, phlox, salpiglossis, cresson de fontaine, verveine, pensée.

Semences qu'il faut tremper ou entailler avant de les semer: hibiscus, volubilis des jardins, pois de senteur.

Semences qui aiment être refroidies avant d'être semées: chou décoratif, primevère, pensée.

Semences nécessitant une température fraîche (13°C) pour germer: pois de senteur, nemophila, pavot, salpiglossis, phlox.

Semences devant être semées aussitôt que possible (elles ne vivent pas longtemps et ne doivent pas être entreposées): gerbera, cyprès d'été, sauge.

Jeunes plants qui n'aiment pas être transplantés (semez là où ils devront pousser ou dans des pots individuels): lavatère, nigelle, pavot, phlox, sanvitalie rampante, cresson de fontaine.

LES ÉLÉMENTS DE BASE

TERRE

MALGRÉ TOUS LES SOINS que vous apporterez à la planification de votre jardin ou à choisir des plantes de grande qualité, vous n'aurez pas de succès sans une bonne base: une terre appropriée. Avant de planter, il faut préparer le sol, surtout si une plate-bande de fleurs n'a jamais été installée à l'endroit où la plantation se fera. Après avoir délimité le terrain, enlevez tout le gazon, les mauvaises herbes, les pierres et autres débris.

Incorporez de la matière organique, comme de la mousse de sphaigne, des feuilles décomposées, du fumier bien pourri ou du compost à un taux de 25 à 33 % du volume de la terre, à l'endroit où les racines pousseront et dans les 20 cm supérieurs. Ce qui signifie qu'il faut étendre de 5 à 6 cm de matière organique sur le sol et la faire pénétrer jusqu'à une profondeur de 20 cm.

La matière organique améliore la retenue du sol et le drainage. Elle améliore aussi la texture du sol, en l'aidant à devenir plus léger et plus aérien, car il y a plus d'air dedans, ce qui aide les racines à respirer et à travailler la terre grasse plus facilement. Si votre sol est sablonneux ou possède beaucoup d'argile, l'ajout de matière organique améliorera sa texture.

Une terre très argileuse peut être améliorée en y ajoutant du sable d'horticulture ou du sable régulier. Du gypse ou du sulfate de calcium peuvent être ajoutés dans les sols lourds. C'est une bonne source de calcium qui ne change pas le pH de la terre.

Les plates-bandes de fleurs et les bordures ne devraient pas être préparées tôt au printemps, lorsque la terre est encore mouillée, car la texture du sol en sera ruinée. Les plates-bandes et les bordures peuvent être préparées à l'automne précédent ou juste avant la plantation. Afin de vérifier si la terre est prête à être travaillée, prenez-en une poignée et serrez-la. Si elle reste compacte, elle est encore trop mouillée. Attendez quelques jours et essayez encore. Lorsque la terre sera prête à être travaillée, la boule de terre s'émiettera sous vos doigts.

S'il y a suffisamment de matière organique, surtout du fumier bien pourri ou du bon compost incorporé à la terre, et si le pH n'est ni trop alcalin ni trop acide (voir l'encadré), la fertilité sera suffisante pour presque toutes les annuelles. Par contre, si la matière organique disponible est de la mousse de sphaigne ou des feuilles décomposées (aucune ne contenant beaucoup de nutriments) ou que la terre est sablonneuse et sèche rapidement, en emportant les nutriments, vous aurez peut-être besoin de fertilisant.

À DROITE:
Si les semences sont plantées directement à l'extérieur, préparez d'abord le sol en le ratissant pour le niveler avant l'ensemencement.

PAGE SUIVANTE:
Faites un sillon avec le manche d'un râteau ou d'un balai de la profondeur requise pour les semences et les y déposer. Ensuite, remettez le sol en place doucement.

FERTILISANTS

Vous avez le choix entre les fertilisants chimiques, des sels chimiques concentrés et des fertilisants organiques, ou des sources concentrées de nourriture animale ou végétale pour plantes.

Les fertilisants chimiques sont habituellement disponibles sous forme sèche ou liquide. Choisissez-en un dont le ratio d'azote-phosphore-potassium (A-P-P) est de 1:1:1 ou 1:2:1 et appliquez-le selon les directives de l'étiquette. L'application normale de fertilisant sur les nouvelles plates-bandes de fleurs est 0,5 à 1 kg de fertilisant 5-10-5 ou 10-10-10 par 9 m^2. Sur les plates-bandes déjà installées on recommande normalement 0,5 kg par 9 m^2. Creusez, utilisez un motoculteur ou mêlez d'une autre façon le fertilisant sec dans la terre jusqu'à ce qu'elle soit uniforme. Ensuite, nivelez avec un râteau. Arrosez bien.

Les fertilisants organiques sont généralement moins dispendieux et agissent plus lentement, parce qu'ils doivent être décomposés par les micro-organismes du sol avant d'être absorbés par les plantes. Contrairement à leurs semblables chimiques, ils ne feront pas de mal aux précieux vers de terre et ils durent plus longtemps. Les algues calcifiées et les extraits d'algues sont de bons fertilisants organiques d'usage général qui procurent des nutriments légers. La farine de poisson, autre fertilisant général, est bonne pour un sol pauvre; mettez-en 57 g par mètre carré.

ACHAT DE PLANTES

La section encyclopédique donne l'information nécessaire pour faire démarrer des plantes à partir de semences. Cependant, vous pouvez acheter des annuelles pour plates-bandes plutôt que de les cultiver à partir de semences. Si vous les achetez, cherchez des plantes saines, d'un vert foncé, pas trop compactes ni trop maigrichonnes. Bien qu'il soit tentant de choisir des plantes déjà en fleurs, il est préférable qu'elles ne le soient pas (à l'exception des roses d'Inde qui doivent être en fleurs au moment de les planter,

LE pH DU SOL

LA TERRE qui reçoit la plupart des annuelles devrait être légèrement acide à neutre avec un pH de 6,0 à 7,0. Quelques plantes comme l'azalée, la bruyère ou le rhododendron poussent mieux dans une terre un peu plus acide (pH plus bas), mais un sol acide ne rend pas la plupart des plantes heureuses et a aussi tendance à bloquer certains nutriments qui deviennent inaccessibles aux plantes. Les vers de terre, qui aèrent le sol en le parcourant et qui le fertilisent avec leurs excréments, n'aiment pas un sol acide.

Si vous ne connaissez pas le pH de votre terre, vérifiez-le avec un ensemble à tester; c'est simple, pas cher et disponible dans les centres horticoles. Si les tests de pH indiquent que la terre n'est pas à un niveau normal, il est possible d'ajuster le pH de ce sol. Pour un sol trop acide, ce qui est plus souvent le cas que trop alcalin, vous pouvez y ajouter du calcaire. Choisissez du calcaire moulu plutôt qu'hydraté; il ne brûlera pas les plantes et il contient du magnésium, un élément bénéfique à la croissance des plantes. Ne faites pas pénétrer le calcaire dans la terre. Étendez-le en surface, après que le sol aura été remué, de préférence avant la pluie; sinon, vous pouvez arroser suffisamment. Un sol alcalin n'est pas facile à rendre plus neutre; incorporez-y beaucoup de mousse de sphaigne (naturellement acide) chaque année ou ajoutez-y du sulfate d'ammoniaque en suivant les indications de l'étiquette.

À GAUCHE:
Préparez le jardin pour la plantation aussitôt que la terre peut être travaillée, au printemps, en installant les treillis et les clôtures nécessaires.

sinon elles fleuriront tard en été). La majorité des annuelles fleuriront plus rapidement dans le jardin si elles ne sont pas en fleurs au moment d'être plantées.

La plupart des annuelles destinées aux plates-bandes sont cultivées dans des plateaux cellulaires individuels, bien qu'elles puissent être dans des plateaux réguliers ou des pots individuels. Si vous ne pouvez pas les planter rapidement, gardez-les dans un endroit légèrement ombragé et arrosez-les au besoin, normalement chaque jour. Juste avant de les planter, les annuelles de plates-bandes devraient être arrosées, tout comme la terre dans la plate-bande ou la bordure.

PLANTATION

Avant de commencer à planter le jardin d'annuelles, c'est une bonne idée de préparer le plan des plates-bandes et des bordures sur papier. La meilleure façon est d'utiliser du papier quadrillé, ce qui facilite le dessin à l'échelle. Un plan de votre jardin vous permettra de choisir à l'avance la forme et la dimension des bordures et des plates-bandes. De plus, vous aurez une assez bonne idée de la quantité de plantes que vous devrez cultiver ou acheter. Vous pouvez transférer le plan du papier au jardin en convertissant

CI-DESSUS:
En allant acheter des plantes à plates-bandes, choisissez celles qui sont robustes, saines, et qui sont sans insectes ou maladies. Gardez les plantes dans un endroit légèrement ombragé et arrosez quotidiennement s'il est impossible de les planter rapidement.

EN HAUT, À GAUCHE:
Cette plate-bande surélevée s'intègre bien à la brique du pavé et apporte une touche de couleur dans un espace, par ailleurs, inintéressant.

EN HAUT, À DROITE:
Cette plate-bande surélevée a servi à cultiver des légumes, mais pourrait servir à des plantes annuelles. Ceci illustre les formes variées que cette méthode de plantation peut prendre.

PLATES-BANDES SURÉLEVÉES POUR UN SOL À PROBLÈMES

LORSQUE LA TERRE EST PAUVRE et ne se draine pas bien, une solution à ce problème est de bâtir des plates-bandes surélevées. Elles peuvent avoir de 20 cm à 1 m de haut et être bordées de bois, de briques ou de pierres. Puisque la terre est contenue dans une plate-bande surélevée, elle peut être améliorée beaucoup mieux que dans une plate-bande de jardin. Les seuls nutriments que les plantes absorberont seront ceux que vous leur donnerez, aussi vous devez utiliser une bonne terre de jardin ou pour empoter, comme vous le feriez dans un jardinage en pot (voir plus loin). En plus de régler le problème d'un sol pauvre, les plates-bandes surélevées sont des éléments décoratifs agréables dans un jardin et si elles sont suffisamment hautes et larges, leur rebord peut servir d'endroit où s'asseoir.

l'échelle que vous avez choisie (par exemple, un carré du papier équivaut à 30 cm) puis en mesurant les distances avec un galon à mesurer et en les marquant par des briques ou des ficelles.

Ne devancez pas la période de plantation! Les fragiles annuelles ne peuvent être plantées avant que tout danger de gel soit écarté. Les annuelles semi-rustiques peuvent être plantées en toute sécurité si les nuits sont encore fraîches en autant qu'il n'y ait plus de gel. Les annuelles rustiques peuvent être plantées au début du printemps aussitôt que le sol peut être travaillé. Les dates particulières de plantation sont indiquées dans la section encyclopédique.

Lorsqu'il est temps de planter, consultez le guide d'espacement dans la section encyclopédique. Soulevez la plante du contenant avec précaution, en gardant intacte la motte de racines pour éviter tout dommage. La meilleure façon de faire consiste à presser doucement ou à pousser vers le haut le fond du contenant s'il est suffisamment souple ou de tourner le contenant à l'envers pour laisser la plante tomber dans votre main. Si la plante ne glisse pas facilement, frappez le fond du contenant avec une truelle. Si la motte de racines est humide, comme elle le devrait, elle glissera facilement sans être endommagée.

Parfois, les plantes poussent dans des contenants qui n'ont pas de cellules individuelles. Alors, séparez délicatement les plantes à la main ou à l'aide d'un couteau juste avant de les planter, afin que les racines ne sèchent pas. Parfois, les plantes sont cultivées dans des pots individuels en mousse de sphaigne. Pour les planter, déchirez une couche à l'extérieur du pot et placez la plante et le pot dans le sol. Assurez-vous que le haut du pot soit sous le niveau du sol après l'avoir planté, sinon il aura l'effet d'une mèche et drainera l'eau loin des racines de la plante.

Si les racines sont très compactes, aérez-les doucement avant de les planter, afin que la plante pousse mieux. Creusez un trou légèrement plus grand que la motte des racines, placez la plante au même niveau que dans son contenant précédent et affermissez le sol soigneusement autour des racines. Arrosez bien après les avoir plantées et régulièrement jusqu'à ce qu'elles soient établies et que leur croissance soit engagée. Une application de fertilisant liquide à haute teneur en phosphore est bénéfique, à ce moment-là, pour stimuler la croissance des racines.

Il est préférable de planter durant une journée nuageuse, couverte ou tard en fin d'après-midi afin de réduire le choc occasionné à la plante. Les pétunias font exception à cette règle, car elles acceptent d'être plantées durant une journée chaude et ensoleillée.

Afin de diminuer l'entretien du jardin, employez un herbicide commercial prévenant la pousse des mauvaises herbes et étiqueté pour usage ornemental. Les mauvaises herbes ne pourront pas germer. Cette préparation diminuera la corvée de désherbage plus tard en été. Puisque ces herbicides donnent de meilleurs résultats s'ils ne sont pas dérangés après leur application, il est préférable de les mettre dans le sol juste après la plantation et de les arroser tel qu'indiqué.

FABRICATION DU COMPOST

Un tas de compost est un centre de recyclage dans votre jardin. Il reçoit les feuilles et les autres débris de plantes, le gazon taillé, les restes de fruits et de légumes et toute autre matière autour de vous. Avec votre aide et celle de mère Nature, ils se transforment en un excellent complément pour la terre et un aliment pour les plantes.

La différence entre un tas de matière organique qui se décompose bien et un amoncellement de débris pourrissants est le plein air, la chaleur, l'humidité et l'équilibre entre les matières riches en azote et celles riches en carbone.

Le tas devrait avoir au moins 1 m de haut sur 1 m de large et être constitué de couches de matières organiques variées. Par exemple, vous pouvez commencer avec une couche de débris de plantes et de feuilles (pas de plantes malades ou de racines de mauvaises herbes vivaces comme le liseron ou le chiendent) puis ajouter du gazon coupé, un rang de restes de cuisine (pas de viande ni de gras), enfin recouvrir d'un peu de terre. Répétez. Couvrez le tout d'une autre couche de terre et arrosez jusqu'à ce que le tas soit humide mais non détrempé.

Laissez-le travailler pendant une semaine, puis tournez le tas avec une fourche afin de mêler tous les niveaux et de les aérer. Tournez encore à toutes les deux semaines et arrosez au besoin. Si les matières ajoutées au tas étaient en morceaux relativement petits et que la température extérieure soit chaude, vous devriez avoir fini le compost en trois mois environ.

Afin que le compost soit bien décomposé, surtout si l'apport de plantes riches en azote, comme le gazon coupé et les feuilles vertes, n'est pas abondant, vous pouvez ajouter au tas, en le formant, du fertilisant organique ou un enzyme commercial stimulant le compost. Si vous pouvez obtenir du fumier animal, ajoutez-en de minces couches entre les couches plus épaisses de matière végétale, en faisant le tas, et laissez-le agir pendant un an avant de l'utiliser dans le jardin, afin que le fumier soit complètement décomposé.

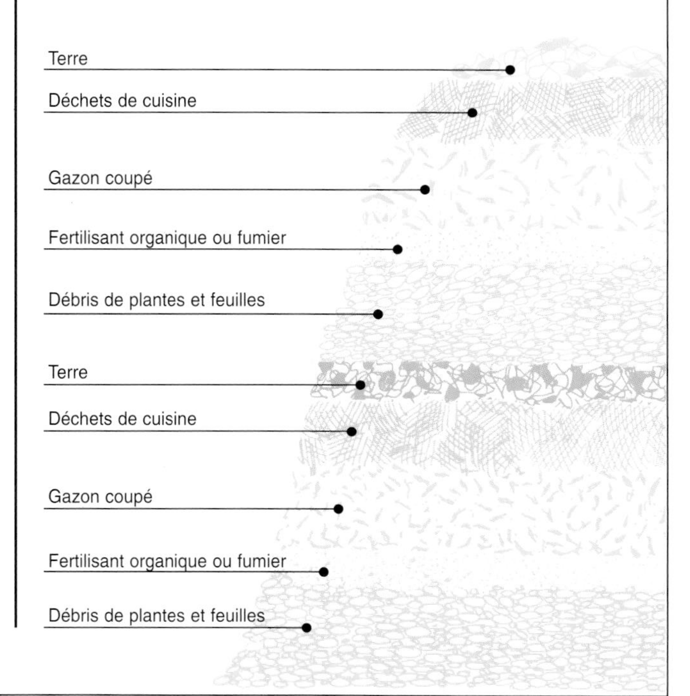

CULTIVER UN JARDIN D'ANNUELLES

LES PREMIÈRES ÉTAPES menant à un magnifique jardin fleuri, comme nous l'avons vu, consistent à bien choisir les annuelles, à préparer le sol adéquatement et à bien planter. Ensuite, c'est à vous et à mère Nature de maintenir le jardin à son meilleur en couleurs et en beauté.

FERTILISATION

La majorité des annuelles ne demandent pas beaucoup de fertilisant, mais elles pousseront et fleuriront mieux si des nutriments adéquats sont disponibles. Les exceptions notables à cette règle sont le cresson de fontaine, la tibouchina, le pourpier, le cosmos, la gazania, le salpiglossis qui aiment pousser dans un sol pauvre et infertile. Pour ces fleurs, n'ajoutez pas ou très peu de fertilisant dans le sol au moment de les planter.

Pour stimuler la croissance et la floraison, fertilisez une fois ou deux de plus durant la saison de croissance avec du 5-10-5 ou un fertilisant semblable en granules au taux de 0,4 à 1 kg par 9 m^2. Vous pouvez y substituer un fertilisant liquide, comme le 20-20-20, selon les directives de l'étiquette et en mettre aux quatre à six semaines. Trop de fertilisant produira une accumulation de sels solubles dans le sol, surtout s'il est lourd, et il endommagera les annuelles. Aussi, une fertilisation excessive stimulera trop la croissance du feuillage au détriment des fleurs. Si vos plantes ne fleurissent pas suffisamment, n'ajoutez pas plus de fertilisant, mais éliminez-le complètement.

ARROSAGE

Un arrosage irrégulier mais en profondeur est préférable à des arrosages fréquents et superficiels; le premier stimule un enracinement profond qui donne des plantes plus en santé. La plupart des annuelles nécessitent un arrosage aussi fréquent que celui du gazon. Référez-vous aux descriptions de chaque plante dans la section encyclopédique. Lorsqu'un sol sec est requis, laissez sécher 2,5 cm de surface avant d'arroser à nouveau. Lorsqu'un sol humide est indiqué, ne laissez jamais la surface devenir sèche. Les annuelles demandant un arrosage normal peuvent être arrosées lorsque le sol devient sec.

Si possible, ne mouillez pas le feuillage en arrosant, cela pourrait propager des maladies. Des boyaux de trempage poreux qui laissent l'eau s'écouler lentement dans le sol ou d'autres méthodes similaires d'humidification de la terre sont les meilleures façons d'arroser. Cependant, si vous devez utiliser des gicleurs de surface, arrosez les annuelles sensibles aux maladies (les zinnias et les calendulas en particulier) aussitôt que possible dans la journée afin que le

À GAUCHE:
Ce système d'irrigation, par lequel l'eau est apportée aux plantes par des tubes étroits dérivés du boyau principal, vous permet d'arroser les plantes là où c'est nécessaire: aux racines. Ainsi, vous ne perdez pas une eau précieuse ni ne mouillez les feuilles.

À DROITE:
Certaines annuelles ont des tiges faibles qui ne se tiennent pas seules à la verticale. Des tuteurs comme celui-ci corrigent ce problème tout en étant jolis.

feuillage sèche avant la nuit. Si vous cultivez des annuelles pour en tirer des fleurs coupées, ne les arrosez pas sur le dessus, si possible, pour éviter d'abîmer les pétales. Là où la pluie et les réserves d'eau se font rares, choisissez des annuelles résistantes à la sécheresse comme le pourpier, la célosie, les cosmos, les tournesols, l'ibéride, l'auricule, la gazania, la tibouchine, l'alysse odorante ou le vinca.

PAILLIS

Lorsque les annuelles sont plantées, l'ajout d'une couche de paillis de 5 à 7,5 cm améliorera l'aspect du jardin tout en diminuant la quantité de mauvaises herbes et en conservant l'humidité du sol. Le meilleur paillis est organique et comprend des copeaux d'écorce, des aiguilles de pin, des feuilles déchiquetées, de la mousse de sphaigne ou des gousses quelconques. L'année suivante, le paillis peut être incorporé au sol avant la plantation, afin de l'enrichir. Du nouveau paillis peut être ajouté chaque printemps, ce qui donne une meilleure structure au sol et améliore la croissance au fil des années.

Si les étés sont chauds dans votre région, les annuelles qui nécessitent un sol frais devraient être entourées de paillis tout de suite après la plantation, afin de maintenir le sol frais durant l'été. Les annuelles qui aiment un sol chaud ne devraient pas être traitées au paillis avant que la température et la terre n'aient réchauffé. Du paillis de plastique noir peut être utilisé pour conserver la chaleur du sol tout en réduisant la quantité de mauvaises herbes. Assurez-vous qu'il y a suffisamment de trous dans le plastique pour que l'eau pénètre la terre au-dessous.

TUTEURS ET SUPPORTS

La majorité des annuelles ne requièrent pas de tuteurs, mais parfois certaines en ont besoin parce qu'elles sont lourdes ou trop grandes pour se supporter seules. Utilisez un tuteur solide en bois ou en bambou et attachez-y la plante pas trop serrée avec une corde ou une attache qui se tourne. Ne serrez pas trop afin de ne pas pincer ou endommager la plante. Les grosses plantes touffues peuvent nécessiter trois ou quatre tuteurs autour d'elles pour les maintenir droites et serrées. Les grosses plantes peuvent aussi être maintenues par des tuteurs de broche en forme conique, souvent appelés cages à tomates, ou autres appareils semblables.

Certaines vignes grimperont par elles-mêmes, mais d'autres auront besoin d'aide. Attachez les vignes légèrement à leurs supports sans serrer, afin de ne pas endommager les tiges. Les vignes peuvent aussi être insérées à travers les treillis et les clôtures faites de broche à poules ou de matériel semblable.

DÉSHERBAGE

Le désherbage ne consiste pas seulement à enlever les plantes inutiles qui déparent les plates-bandes et les bordures. Les mauvaises herbes enlèvent aux annuelles de l'eau, de la lumière, des nutriments et favorisent la croissance des insectes et l'apparition de maladies. Les mauvaises herbes se manifesteront, même en présence de paillis. Assurez-vous de les enlever aussitôt que possible, surtout lorsque les annuelles sont jeunes, afin de ne pas nuire à leurs racines. Les mauvaises herbes peuvent être arrachées à la main ou, lorsque les annuelles sont adultes, avec un sarcloir.

AUTOENSEMENCEMENT

Certaines annuelles comme la balsamine, le pourpier, la sauge, la nicotine s'autoensemencent ou s'ensemencent elles-mêmes d'une année à l'autre ou parfois durant la même saison. Les boutures de plantes hybrides ne seront pas identiques aux parents et seront souvent moins vigoureuses. Il est préférable de les enlever et de replanter de nouvelles annuelles dans les plates-bandes et les bordures chaque année pour un meilleur effet. Les graines des plantes non hybrides peuvent être laissées en terre pour pousser et ces annuelles se comporteront comme des vivaces. Cependant, dans les endroits où les saisons sont courtes, ces boutures ne seront probablement jamais assez grosses pour bien paraître; vous ne pouvez donc vous y fier et vous devrez replanter.

PINCER ET ÉMONDER

Quelques annuelles, surtout le pétunia, le muflier, la pensée, ont besoin d'être pincées après la plantation ou après la première floraison, afin d'être bien fournies et de fleurir librement. Lorsque des hybrides nouveaux et plus touffus sont créés, ceci est moins important. L'alysse odorante, l'ibéride, le phlox, la lobélie ont tendance à s'étendre et à envahir les passages, la pelouse et les autres fleurs. Ils peuvent être taillés avec des ciseaux à haies si nécessaire. Cette coupe stimulera une floraison plus abondante. Lorsque les fleurs sont coupées après avoir fané ou si elles sont coupées pour en faire des bouquets, les plantes se trouvent émondées par le fait même.

COUPE DES FLEURS MORTES SUR LEUR TIGE

Certaines annuelles, surtout le bégonia, la balsamine, le coléus, l'alysse odorante, l'agérate, la lobélie, le vinca,

CI-DESSUS:
Des dahlias en hauteur sont maintenus droits par des tuteurs, ce qui crée un joli motif ayant pour fond le mur blanc. Insérez toujours les tuteurs au moment de la plantation, afin de ne pas endommager accidentellement les racines.

la sauge, demandent peu de soins. Leurs fleurs tombent proprement du plant lorsqu'elles sont fanées et ne doivent pas être enlevées à la main. D'autres, comme le souci, le géranium, le zinnia, le calendula et le dahlia, nécessitent l'enlèvement de leurs fleurs fanées. C'est ce qu'on appelle la coupe des fleurs mortes sur leur tige et elle est nécessaire au maintien d'une belle croissance, pour éviter la montée en graines et l'apparition de maladies. Cette opération peut se faire avec des ciseaux à émonder ou parfois avec les doigts.

SOINS D'AUTOMNE

À l'automne, lorsque le gel a noirci le dessus des plantes annuelles, elles devraient être retirées des plates-bandes pour en améliorer l'aspect. Ce nettoyage élimine aussi des milieux propices à la multiplication d'insectes et de maladies qui pourraient s'y développer en hiver. Creusez ou arrachez-les et jetez-les sur le tas de compost si les plantes ne sont pas infestées d'insectes ou de maladies.

LE CONTRÔLE DES INSECTES ET DES MALADIES

LES ANNUELLES sont relativement libres de problèmes, ayant peu d'insectes ou de maladies, si elles sont bien traitées. Voici les problèmes les plus communs qui peuvent se manifester:

INSECTES

■ APHIS

Ce sont de très petits insectes ailés, vert pâle, bruns ou beiges; ceux de couleur vert pâle sont les plus souvent présents sur les annuelles. On les remarque par le miellat qu'ils exsudent lorsqu'ils sucent la sève. Cette substance collante attire les fourmis et parfois suscite une moisissure semblable à de la suie sur la plante. Une infestation forte peut arrêter ou déformer la croissance de la plante et empêcher les fleurs de s'épanouir correctement.

S'il n'y a pas trop de plantes infestées, les aphis peuvent être enlevés facilement avec une solution de savon et d'eau. Les vaporisateurs organiques comprennent le derris, le pyrèthre, le quassia. Le diazinon, le malathion et le sevin sont des insecticides chimiques efficaces. Les coccinelles sont des prédateurs naturels de l'aphis et devraient être protégées.

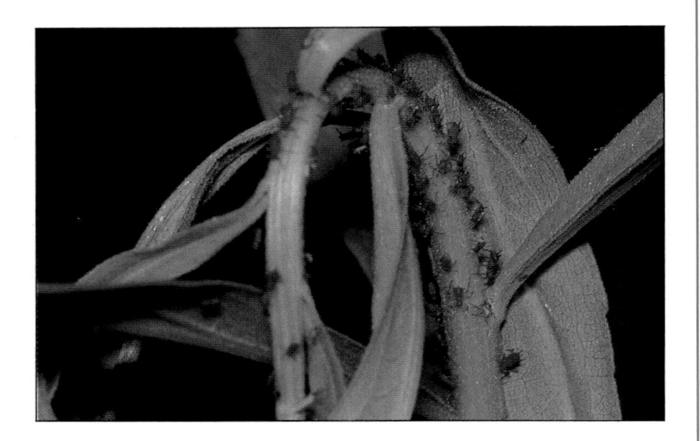

CI-DESSUS:
Les aphis sont la cause la plus connue de dommage aux plantes.

■ COCHENILLES DES SERRES

Ces insectes blancs cotonneux peuvent être trouvés sur le dessous des feuilles et sur les tiges. S'il y en a peu, essuyez-les avec un linge humide. Retirez et brûlez les plantes trop infestées. Le diazinon et le malathion seront efficaces seulement si les parties touchées sont aspergées généreusement.

■ PERCE-OREILLES

On les identifie à leurs grandes pinces. Ils se cachent dans les fleurs et en sortent pour manger les pétales et les feuilles, en y faisant des trous. Puisqu'ils aiment se cacher, attrapez-les avec des pots renversés, sous lesquels vous aurez placé des feuilles sèches, de la paille ou des boulettes de papier journal. De plus, vaporisez les plantes au diazinon, au malathion ou au sevin.

■ LIMACES ET ESCARGOTS

Les limaces et les escargots mangent les feuilles vertes, surtout celles des jeunes plantes, ce qui les affaiblit au point de les faire mourir. Enlever tout le paillis humide ou mou autour des plantes et remplacez-le par un paillis de sable ou d'une autre matière rugueuse et sèche.

Placez des soucoupes sur le sol autour des plantes à risque et versez-y de la bière au fur et à mesure qu'elle s'évapore. Remplacez la bière qui pourrait être diluée par l'eau de pluie; enlevez les limaces qui vont s'abreuver, mais qui ne peuvent sortir de la soucoupe ensuite.

■ THRIPS

Ce sont des insectes noirs minuscules qui sucent la sève des feuilles et des fleurs, laissant des traces argentées dans leur sillage. Ils peuvent faire faner les contours des fleurs et les tordre. Ils se multiplient durant les périodes chaudes et sèches. Arrosez-les avec de l'insecticide organique derris ou des vaporisateurs chimiques ou utilisez des poudres comme le diazinon, le malathion ou la nicotine.

■ CHENILLES

Les larves de certaines mites et papillons peuvent manger des bourgeons et du feuillage. Les insectes s'enroulent parfois dans les feuilles au printemps. Vaporisez l'insecticide organique derris et enlevez à la main les pousses infestées ou utilisez un vaporisateur chimique de diazinon ou de sevin.

MALADIES

■ FONTE DES SEMIS

C'est une des maladies causées par un champignon qui fait pourrir les boutures au niveau du sol: elles tombent et meurent. La prévention est la meilleure action: servez-vous d'instruments à ensemencer stérilisés; nettoyez tous les contenants et les outils avec du savon et de l'eau contenant

RECONNAÎTRE LES INSECTES COMMUNS

Les perce-oreilles font des petits trous dans les feuilles et les tiges.

Les thrips laissent le feuillage et les fleurs rayés et tachés.

Les limaces sont attirées par l'eau autour de la base de la plante.

Les aphis attaquent les tissus mous des plantes.

quelques gouttes d'eau de Javel, ensuite rinsez bien. Ne semez pas trop serré et méfiez-vous d'un arrosage trop abondant. Pour obtenir une protection supplémentaire, traitez le sol avec un fongicide comme le thiram ou le benomyl avant de semer. Si la fonte des semis est déjà en place, vous pourrez peut-être la contrôler avec un arrosage au captan ou au thiram.

■ MOISISSURE POUDREUSE

Les plantes touchées seront couvertes d'une fine poudre blanche ou grise et elles seront rabougries. La prévention s'impose: plantez les plantes les plus vulnérables, comme le chrysanthème, le delphinium (pied-d'alouette), la marguerite Michaelmas, dans un endroit ouvert, sans qu'elles soient rapprochées; pour ne pas que les plantes sèchent, couvrez-les de paillis et arrosez-les régulièrement en période sèche. Enlevez rapidement les plantes malades.

■ ROUILLE

Une variété de champignons peut causer des marbrures jaunes et vertes sur les surfaces supérieures des feuilles et des taches orangées et brunes sur le dessous. Plantez des cultivars résistants au virus des plantes qui sont les plus affectées, comme le muflier, le chrysanthème, la passerose et l'œillet de poète. Gardez les plantes en santé par l'arrosage et par une fertilisation au besoin. Enlevez et brûlez les plantes atteintes.

■ VIRUS

Puisque divers virus peuvent affecter les plantes, les symptômes varient, mais généralement les plantes touchées seront rabougries et leurs feuilles déformées et marbrées. Les fleurs pourront être déformées ou elles ne se développeront pas. Puisqu'il n'y a pas de remède ou de contrôle efficace, prévenez le problème en achetant des cultivars résistant aux virus et veillez à la santé des plantes. Enlevez et brûlez rapidement les plantes infestées.

LES MALADIES COMMUNES DES PLANTES

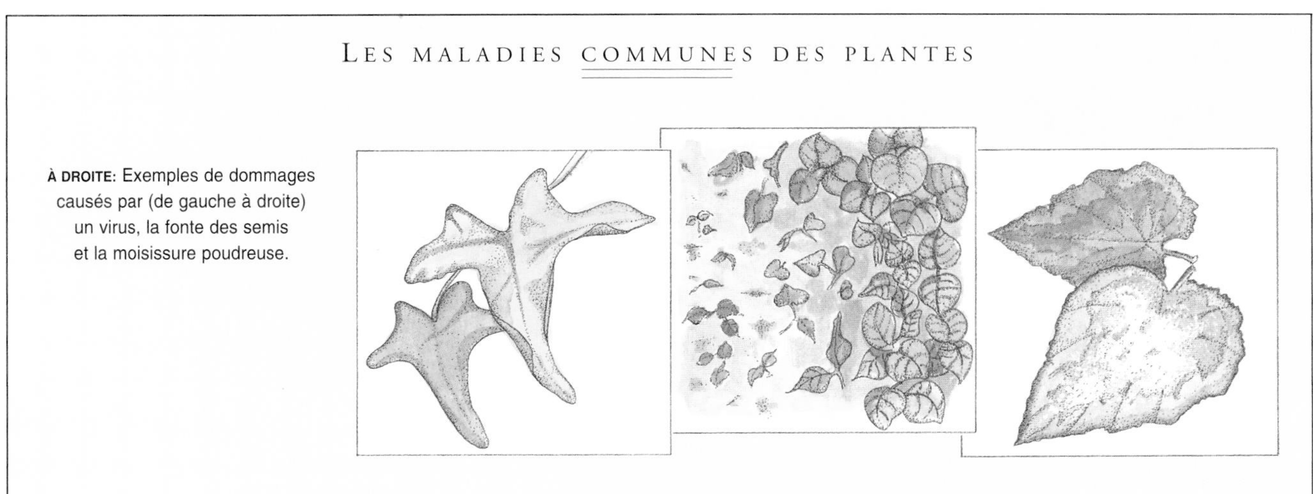

À DROITE: Exemples de dommages causés par (de gauche à droite) un virus, la fonte des semis et la moisissure poudreuse.

FAIRE POUSSER DES ANNUELLES DANS DES CONTENANTS

LA CROISSANCE DES ANNUELLES dans des contenants demande plus d'entretien que le soin des mêmes plantes au sol, mais la présence de couleurs vives sans la nécessité de préparer des plates-bandes vaut l'effort. Le contenant peut être en bois, en pierre, en céramique, en plastique ou en n'importe quel matériau qui peut contenir un mélange et des plantes, en autant qu'il soit fait pour assurer un drainage adéquat. Des contenants de métal peuvent devenir trop chauds au soleil. Faites aller votre imagination et utilisez de vieux pneus, des vieux souliers, des cages d'oiseaux, des boîtes, des brouettes ou des troncs d'arbres.

La terre du jardin peut être utilisée dans le contenant, si elle est de bonne qualité, en autant que vous l'allégez en la mêlant avec du terreau à empoter, de la mousse de sphaigne ou un autre mélange, afin qu'elle ne soit pas trop lourde et qu'elle se draine facilement. Si le sol est pauvre ou que votre jardin est sujet aux problèmes causés par les insectes et les maladies, employez un terreau préparé pour les fleurs en pot. Remplir le contenant jusqu'à 1 cm du bord avant de planter, puis arrosez généreusement. Placez les plantes plus proches les unes des autres que vous ne le feriez dans le jardin, vous obtiendrez ainsi un effet plus dense.

Les contenants nécessiteront plus d'arrosage que les plates-bandes et les bordures, car l'espace de croissance est limité et sèche plus vite, surtout si les contenants sont faits d'une matière poreuse comme l'argile ou qu'ils sont exposés au soleil et au vent. Un arrosage quotidien peut être nécessaire, ayez un boyau d'arrosage disponible. Les contenants doivent aussi être fertilisés légèrement, mais fréquemment avec un aliment liquide pour les plantes.

Si la lumière éclaire la jardinière de façon inégale, la croissance des plantes sera également inégale. Tournez le contenant fréquemment pour éviter ce problème. De grands contenants sont plus faciles à déplacer s'ils sont munis de roulettes ou placés sur une plate-forme.

EN HAUT, À GAUCHE:
Le géranium de jardin s'épanouit en pot et convient bien à des paniers suspendus.

EN HAUT, À DROITE:
Ce jardin de fines herbes est facile à entretenir et illustre les possibilités d'installation des plantes en pot à l'extérieur.

À GAUCHE:
Des primevères en pot apportent une luminosité, surtout lorsqu'elles sont plantées dans des contenants de couleurs complémentaires.

GUIDE DES PLANTES RÉPONDANT À DES CONDITIONS PARTICULIÈRES

Plantes pour endroits très sombres - Bégonia, coléus, balsamine, mimulus, torenia.

Plantes pour ombre partielle - Agérate, baume, vigne 'Black-eyed Susan', browallia, auricule, globulaire, cyprès d'été, pétunia, pourpier, tibouchina, immortelle.

Plantes pour jardins humides - Baume, salpiglossis, bégonia tubéreux, vigne 'Black-eyed Susan', browallia, calendula, chou décoratif et chou frisé, aster de Chine, gerbera, balsamine, lobélie, mimulus, nicotine, poivrier ornemental, pensée, phlox, giroflée des jardins, torenia.

Plantes pour bord de mer - Gaillarde, ibéride, nicotine, lobélie, nigelle, souci, tournesol mexicain, volubilis des jardins, pétunia, phlox, pourpier, tibouchina, alysse odorante, vinca.

Plantes pour jardins chauds - Amarante, anchusa, baume, gaillarde, célosie, coléus, sanvitalie rampante, auricule, gazania, marguerite gloriosa, globulaire, cyprès d'été, souci, nicotine, poivrier ornemental, pétunia, pourpier, sauge, tibouchina, immortelle, verveine, vinca, zinnia.

Plantes pour jardins frais - Marguerite africaine, salpiglossis, bégonia tubéreux, browallia, calendula, dianthus, chou frisé, lobélie.

Annuelles pour sol alcalin - Aster, salpiglossis, dianthus, immortelle, pois de senteur.

Annuelles rustiques - Marguerite africaine, nemophila, renoncule double, calendula, chou frisé, hibiscus, lavatère, pensée, phlox, muflier, giroflée des jardins, alysse odorante, pois de senteur.

Annuelles odoriférantes - Dianthus, muflier, tibouchina, nyctage, giroflée des jardins, alysse odorante.

Annuelles pour paniers suspendus - Bégonia, vigne 'Black-eyed Susan', browallia, coléus, sanvitalie rampante, balsamine, géranium lierre, lobélie, pétunia, vinca.

Annuelles pour fleurs coupées - Agérate, aster, gaillarde, calendula, cosmos, dahlia, gerbera, souci, sauge, muflier, tibouchina, zinnia.

N.B.: Cette nomenclature sert de guide seulement. Consultez la section encyclopédique pour trouver les détails particuliers à chaque espèce de plantes.

SECTION ENCYCLOPÉDIQUE DES ANNUELLES

Dans cette section, on fait mention des prix gagnés par certaines variétés de plantes, ce qui leur donne une valeur particulière. Ces prix sont le All America Selections (AAS); le All Britain Trials (ABT); le Fleuro-select (FS) et le Royal Horticultural Society (RHS).

GUIDE D'UTILISATION DE LA SECTION ENCYCLOPÉDIQUE

■ Les annuelles sont en ordre alphabétique selon leur nom latin.

■ Sous chaque mention, un tableau des symboles vous informe, simplement, de la température particulière, du sol, de l'endroit adéquat pour la plantation et des plantes qui sont recommandées pour certains usages.

 Entretien facile

 Complètement ombragé

 Légèrement ombragé

 Plein soleil

 Milieu sec

 Milieu humide

 Environnement marin

 Résiste à la chaleur

 Résiste au froid

 Sol acide

 Sol alcalin

 Paniers suspendus

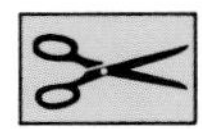 Fleurs coupées

 Odoriférant

Ageratum Houstonianum 'MADISON'

AGERATUM HOUSTONIANUM

AGÉRATE

DES GRAPPES DE PETITES fleurs duveteuses, semblables à des houppettes, surtout bleues, mais parfois roses ou blanches, qui s'amoncellent sur des plants de 15 à 30 cm dont les feuilles ont la forme d'un cœur. On les utilise dans des bordures, des haies et des jardinières. De bonnes variétés comprennent les: 'Blue Blazer', 'Blue Danube', ('Blue Puffs'), 'Blue Ribbon', 'Madison', 'North Sea', 'Royal Delft', 'Pink Powderpuffs', 'Summer Snow', 'Southern Cross'.

■ **COMMENT LA CULTIVER** Les semences peuvent être plantées à l'extérieur lorsque tout danger de gel est passé, mais on obtient de meilleurs résultats si on commence les semences à l'intérieur, six à huit semaines plus tôt. Ne les couvrez pas, car elles ont besoin de lumière pour germer pendant cinq à dix jours. Espacez les plants de 15 à 20 cm au soleil ou dans un endroit légèrement ombragé. L'agérate préfère un sol riche, humide, bien drainé et elle pousse mieux à la chaleur et à l'humidité modérées. Les fleurs de l'agérate tombent proprement lorsqu'elles fanent. Les plants dont les tiges sont trop hautes peuvent être taillés.

ALTERNANTHERA FICOIDEA

ALTERNANTHÉRA, FEUILLES CUIVRÉES

ON CULTIVE L'ALTERNANTHÉRA pour son feuillage ornemental vert, rouge et orangé, jaune, jaune et rouge, pourpre et cuivre ou rouge sang. C'est une plante simple et soignée mesurant seulement 15 cm de hauteur. On taille généralement cette plante, ce qui empêche les fleurs modestes de s'épanouir. L'alternanthéra est une des meilleures plantes à utiliser pour faire des motifs complexes et définis dans un dessin paysager.

■ **COMMENT LA CULTIVER** L'alternanthéra est cultivée à partir de divisions ou de boutures, car elle ne peut pas se propager par ensemencement. Il est préférable de faire prendre racine aux boutures à la fin de l'été et de les garder en serre ou dans un boîtier chaud durant l'hiver, pour les remettre au jardin au printemps, après que tout danger de gel soit passé. Plantez les plantes à une distance de 20 à 25 cm, dans un endroit ensoleillé dont le sol est moyen. Taillez les plantes, surtout si vous en faites des motifs.

Althaea rosea

Alternanthera ficoidea 'BRILLIANT'

ALTHAEA ROSEA

PASSEROSE (ROSE TRÉMIÈRE)

LA PLUPART DES PASSEROSES SONT de majestueuses plantes de 1,2 à 1,8 m, mais il existe des variétés naines qui croissent seulement à 0,6 m. Les deux variétés ont des hampes rigides de fleurs ressemblant à du papier au-dessus de feuilles semblables à celles de l'érable. Les fleurs simples ou doubles possèdent une vaste palette de couleurs, à l'exception du bleu. Certaines passeroses sont vivaces ou bisannuelles, mais elles peuvent être cultivées comme des annuelles. Faites-en des plantes d'accentuation ou placez-les à l'arrière des bordures.

Les variétés à choisir sont: 'Majorette' (AAS), 'Pinafore', 'Powder Puffs', 'Summer Carnival' (AAS).

■ **COMMENT LA CULTIVER** Ensemencez à l'intérieur, six à huit semaines avant le dernier gel. Ne les couvrez pas, car les semences ont besoin de lumière durant les 10 à 14 jours de germination. Plantez-les à une distance de 46 à 60 cm, en plein soleil ou à l'ombre très légère. Le sol devrait être riche, humide et bien drainé. Les grandes passeroses ont besoin de tuteurs. Coupez les fleurs fanées: la passerose se réensemence facilement, mais les plantes seront moins belles. La rouille peut l'attaquer (voir Maladies, précédemment).

AMARANTHUS

AMARANTE

TOUS LES MEMBRES DE CE GROUPE de plantes ont une chose en commun: un feuillage brillant, voyant et multicolore. Les feuilles peuvent être rouges, marron, chocolat, vertes ou jaunes, versicolores et agrémentées d'une ou de plusieurs couleurs contrastantes. Elles sont un ajout coloré dans les plates-bandes, les bordures, les haies et les pots, et elles sont parfaites pour apporter un accent. *A. caudatus*, l'amarante à fleurs en queue ou la fleur gland, est une plante droite de 1 à 1,6 m, surmontée de fleurs d'un rouge brillant de 0,6 m et ressemblant à une corde qui traîne. *A. tricolor*, manteau de Joseph, mesure 0,6 m. Ses feuilles sont d'un vert profond, chocolat ou jaune, en bas de la plante, ainsi que pourpre vif et doré, sur le dessus. *A. tricolor salicifolius*, plante de fontaine ou poinsettie d'été, atteint 0,6 à 1,3 m de hauteur. Cette variété se distingue par des feuilles vert foncé au bas et vert brillant sur le dessus.

■ **COMMENT LA CULTIVER** Ensemencez à l'extérieur après que tout danger de gel soit passé ou, pour de meilleurs résultats, commencez les semences à l'intérieur, trois à quatre semaines auparavant. La germination nécessite de 10 à 15 jours. Plantez à 45-60 cm de distance dans un jardin au sol infertile, chaud et ensoleillé. L'amarante tolère la sécheresse et la chaleur.

Amaranthus tricolor

Ammobium alatum 'GRANDIFLORA'

AMMOBIUM ALATUM 'GRANDIFLORA'

IMMORTELLE AILÉE

L'IMMORTELLE AILÉE POSSÈDE des fleurs de 2,5 cm dont les pétales sont d'un blanc argent chatoyant et le centre jaune, sur des tiges de 90 cm. Les feuilles sont douces, laineuses, argentées. Elles ont des tiges épaisses qui s'écartent et dont les bords sont relevés, comme des ailes. L'immortelle ailée ajoute de l'intérêt au jardin de fleurs à couper ou à un bouquet de fleurs séchées. Elle est une bisannuelle ou une vivace semi-rustique cultivée comme une annuelle.

■ **COMMENT LA CULTIVER** Les semences peuvent être plantées à l'extérieur, six semaines avant le dernier gel ou commencées à l'intérieur, six ou huit semaines plus tôt. La germination prend de cinq à sept jours. Là où les hivers sont chauds, les semences peuvent être plantées à l'extérieur à l'automne, jusqu'à deux mois avant le premier gel. Une légère couverture de paillis protégera les plantes des dommages possibles dus au gel. Les plants sont insérés à une distance de 38 cm, en plein soleil et dans un sol sablonneux, riche, humide et bien drainé. Pour sécher les fleurs, coupez-les avant leur maturité et suspendez-les par les tiges, dans un endroit frais, sec et ombragé.

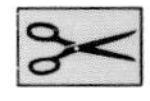 

ANCHUSA CAPENSIS

MYOSOTIS, BUGLOSSE

LE MYOSOTIS POSSÈDE des grappes de minuscules fleurs marine sur un plant voyant, qui s'étale et qui pousse de 23 à 46 cm. Le feuillage est rugueux, en forme de lance et duveteux. Il sert aux bordures, aux haies ou pour couvrir le sol. De bonnes variétés sont le 'Blue Angel' et le 'Blue Bird'.

■ **COMMENT LE CULTIVER** Ensemencez directement dans le sol, après que tout danger de froid soit passé ou commencez-les à l'intérieur, six à huit semaines plus tôt. La germination nécessite de 14 à 21 jours. Plantez le myosotis en plein soleil, à une distance de 25 à 30 cm. La terre doit être légère, infertile, sèche et bien drainée. Coupez après la première floraison pour en stimuler une seconde.

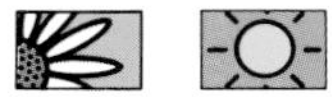 

Anchusa azurea 'DROPMORE'

Antirrhinum majus

ANTIRRHINUM MAJUS

MUFLIER

CETTE PLANTE TIRE SON NOM de sa forme originale, laquelle ressemble à la mâchoire d'un dragon prête à se refermer. Maintenant, ces fleurs particulières, à deux lèvres, ayant la forme d'un sac, possèdent des pétales doubles, ouverts. Toutes se dressent sur des tiges voyantes, bien droites, surmontant un feuillage sombre semblable à des lanières. Les fleurs du muflier sont de toutes les couleurs à l'exception du vrai bleu. Leur parfum est léger et épicé. Cultivez-les dans des bordures, des plates-bandes ou des rocailles et faites-en aussi de charmantes fleurs coupées, qui se conserveront longtemps.

Selon la variété, les plants mesurent de 6 à 36 cm de hauteur. Les variétés plus basses sont 'Floral Carpet', 'Royal Carpet' (RHS) et 'Kolibri'. Les variétés de taille moyenne sont 'Coronette' et 'Little Darling' (AAS, ABT). Les types plus grands sont 'Bright Butterflies', 'Madame Butterfly' (AAS, ABT), 'Rocket'.

■ **COMMENT LE CULTIVER** Les semences sont plantées à l'extérieur, au milieu du printemps, après que le sol ait commencé à se réchauffer, mais pour de meilleurs résultats, ensemencez à l'intérieur six à huit semaines plus tôt. Ne couvrez pas les semences, car la lumière est nécessaire à leur germination, laquelle nécessite de 10 à 14 jours.

Selon leur pleine hauteur, plantez les mufliers à une distance de 15 à 38 cm, en plein soleil ou à l'ombre légère. Une plantation trop serrée peut stimuler des maladies, comme la moisissure et la rouille (voir Maladies, plus haut). Pincez les jeunes plantes afin de stimuler la pousse des branches et de produire plus de fleurs.

La terre devrait être légère, riche, à peine humide et bien drainée. Coupez les hampes florales étiolées afin de stimuler plusieurs floraisons. Bien que les mufliers étaient traditionnellement des plantes de climat froid, de nouveaux hybrides résistent mieux à la chaleur. Dans les endroits chauds, les mufliers traverseront l'hiver comme des vivaces.

ARCTOTIS STOECHADIFOLIA

MARGUERITE AFRICAINE

LES HYBRIDES MODERNES DE LA marguerite africaine ont des fleurs jaunes, blanches, roses, bronze, rouges, pourpres, brunes et orangées. Ils poussent jusqu'à seulement 25-30 cm. La floraison se prolonge tout l'été mais les fleurs se referment le soir. Mettez-les dans des plates-bandes et des bordures.

■ **COMMENT LA CULTIVER** Les semences peuvent être plantées à l'extérieur, au début du printemps, aussitôt que le sol peut être remué. Pour de meilleurs résultats, commencez les semences à l'intérieur, six à huit semaines avant le dernier gel, au moment où les pousses devraient être plantées à l'extérieur. La germination est de 21 à 35 jours.

Espacez les plants de 30 cm. Plantez-les en plein soleil et dans un sol léger, sec, infertile et sablonneux. Les marguerites africaines poussent mieux si les nuits sont fraîches. Enlevez les fleurs fanées régulièrement afin de prolonger la floraison et d'améliorer leur apparence.

Arctotis stoechadifolia

Begonia x semperflorens-cultorum

BEGONIA X SEMPERFLORENS-CULTORUM

BÉGONIA CIRÉ, BÉGONIA FIBREUX

LE BÉGONIA CIRÉ EST formé de monticules soignés d'un feuillage rond et de fleurs simples ou doubles. Les minuscules fleurs blanches, roses et rouges apparaissent continuellement au-dessus d'un feuillage ciré vert, bronze, brun ou versicolore, sur un plant qui a atteint une hauteur de 15 à 30 cm. Il se plante dans les plates-bandes, en bordures ou dans des contenants. Les variétés comprennent des: 'Avalanche', 'Bingo!', la série des 'Cocktail' ('Brandy', 'Gin', 'Rum', 'Vodka', 'Whiskey'), 'Coco', 'Double Ruffles', 'Foremost', 'Glamour', 'Lucia', 'Party', 'Pizzazz', 'Prelude', 'Scarletta', 'Tausendschon', 'Varsity' et 'Wings'.

■ **COMMENT LE CULTIVER** Commencez les semences à l'intérieur, 12 à 16 semaines avant le dernier gel du printemps. Les semences sont petites et poussiéreuses. Elles ont besoin de lumière durant les 15 à 20 jours de germination. Espacez les plants de 15 à 20 cm, dans un endroit partiellement ombragé; les bégonias cirés hybrides peuvent être plantés en plein soleil si la température n'excède pas 32°C. Dans les régions chaudes, choisissez les bégonias cirés à feuilles bronze plutôt que ceux à feuilles vertes: ils résistent mieux à la chaleur. Le sol devrait être très riche, fertile, bien drainé et d'humidité moyenne.

BEGONIA X TUBERHYBRIDA

BÉGONIA TUBÉREUX

LE BÉGONIA TUBÉREUX CROÎT jusqu'à une hauteur et une largeur de 30 cm. Les doubles fleurs rouges, blanches, jaunes, orangées, roses sont d'une seule teinte ou bicolores et ressemblent à de minuscules roses ou à des camélias en s'épanouissant en grappes suspendues. Le bégonia tubéreux peut être cultivé en plate-bande ou comme bordure; il est magnifique dans des paniers suspendus. Les variétés bien connues comprennent le 'Clips' et le 'Non Stop' (FS).

■ **COMMENT LE CULTIVER** Commencez les semences à l'intérieur, 16 semaines avant le dernier gel du printemps et donnez-leur 24 heures de lumière durant la germination, qui demande de deux à huit semaines. Vous pouvez commencer les tubercules à l'intérieur, huit semaines avant le dernier gel. Plantez-les, le côté rond en bas, dans des plateaux de mousse de sphaigne et de perlite, à la lumière brillante. Ne pas trop les arroser. Placez les plants à 30 cm de distance, dans l'ombre totale. Pour les bégonias tubéreux le sol doit être très riche, humide, fertile et bien drainé. Ces fleurs préfèrent une température légèrement plus fraîche que les bégonias cirés et profitent de la forte humidité ou de vaporisations fréquentes. À l'automne, les bégonias tubéreux peuvent être retirés du sol. Les tubercules peuvent être séchés et entreposés pour l'hiver dans un endroit frais, sombre et sec.

Begonia x tuberhybrida

Brachycome iberidifolia 'PURPLE SPLENDOR'

BRACHYCOME IBERIDIFOLIA

MARGUERITE 'SWAN RIVER'

DES MASSES DE FLEURS ODORIFÉRANTES semblables à des marguerites bleues, rouges, roses, blanches ou violettes, avec des centres foncés (23-46 cm) recouvrent des monticules de plantes en été. Sous les fleurs, le feuillage presque invisible ressemble à des plumes. La marguerite 'Swan River' s'adapte bien aux rocailles, aux contenants, aux bordures et font de belles fleurs coupées.

■ **COMMENT LA CULTIVER** Commencez les semences à l'intérieur, quatre à six semaines avant le dernier gel. La germination nécessite de 10 à 18 jours. Placez les plants à 15 cm de distance chacun, dans une terre complète, riche et humide. La marguerite 'Swan River' ne fleurit pas longtemps. Donc, il faudra des plantations successives, espacées de trois semaines afin d'assurer une floraison continue. La marguerite 'Swan River' préfère les températures fraîches.

BRASSICA OLERACEA, GROUPE ACÉPHALES

CHOU DÉCORATIF ET CHOU FRISÉ

LE CHOU DÉCORATIF possède souvent des rosettes ouvertes de feuilles vertes, dont les feuilles centrales sont blanches, roses ou pourpres. Les plantes mesurent 30 à 38 cm de large et 25 à 30 cm de hauteur. Ce sont des annuelles décoratives très particulières utilisées surtout à l'automne et en hiver. Les variétés comprennent des: 'Nagoya', 'Osaka', 'Peacock'.

■ **COMMENT LE CULTIVER** Commencez les semences à l'intérieur, six à huit semaines avant de planter les plants à l'extérieur. Les semences du chou décoratif doivent être réfrigérées durant trois jours avant d'être semées et ne devraient pas être couvertes, car elles ont besoin de lumière pour germer. La germination du chou décoratif n'est pas stimulée par la lumière ou le froid; les deux genres de chou germent en 10 à 14 jours.

Espacez les plants de 30 à 38 cm, dans un sol riche et humide, en plein soleil. Le facteur essentiel dans la croissance du chou décoratif et du chou frisé c'est la température froide; plantez-le donc environ un mois avant l'arrivée normale du premier gel d'automne. La coloration commence à 10°C et s'intensifie avec le gel. Les plantes durent tout l'hiver si la température ne descend pas en dessous de -6,5°C.

Brassica oleracea

Browallia speciosa

BROWALLIA SPECIOSA 'MAJOR'

BROWALLIA

LES TIGES MESURENT DE 20 À 45 CM DE LONGUEUR et portent une multitude de fleurs pourpres, bleues ou blanches, en forme de cloche ou d'étoile, semblables au velours et mesurant 5 cm. La browallia est excellente dans les plates-bandes, mais elle donne le meilleur d'elle-même dans un contenant sur les terrasses, car elle possède des tiges rampantes qui se répandent en cascades. Les variétés comprennent: 'Blue Bells', 'Heavenly Bells', 'Sky Bells', 'Silver Bells', 'Marine Bells', 'Jingle Bells', 'Blue Troll' et 'White Troll'.

■ **COMMENT LA CULTIVER** Semez à l'intérieur, de six à huit semaines avant que la possibilité de gel ne soit passée. Ne les couvrez pas, car elles ont besoin de lumière durant les 14 à 21 jours de germination. Transplantez les plants dans le jardin, deux semaines avant que le danger de gel ne soit passé. Plantez la browallia de 15 à 25 cm de distance, dans un endroit partiellement ombragé et un sol riche, humide, frais et bien drainé.

CALENDULA OFFICINALIS

CALENDULA, SOUCI ANGLAIS

LES FLEURS CRAQUANTES du calendula sont simples ou doubles, ressemblant à celles de la marguerite ou du dahlia. Elles mesurent de 8 à 10 cm de large et elles poussent sur des tiges duveteuses de 20 à 90 cm de hauteur. Les fleurs éclatantes du calendula, orangées, jaunes ou abricot, sont frappantes en pots ou dans une plantation abondante. Leurs pétales peuvent servir dans le thé et elles ajoutent une touche de couleur aux aliments. Les grandes variétés sont 'Kablouna' et 'Pacific Beauty'; les variétés naines sont 'Bon Bon', 'Mandarin' et 'Fiesta Gitana' (Festival des gitans) (FS).

■ **COMMENT LE CULTIVER** Ensemencez à l'extérieur, quatre semaines avant le dernier gel du printemps ou commencez les semences à l'intérieur, quatre à six semaines plus tôt. Placez les plants dans le jardin deux semaines avant le dernier gel. La germination se fait en 10 à 14 jours. Espacez les plants de 30 à 38 cm.

Le calendula réussit mieux lorsque la température est en dessous de 26,5 °C. Il préfère le plein soleil, mais poussera aussi à l'ombre légère; le sol devrait être riche et humide. Coupez les fleurs fanées de façon à prolonger la floraison. Le calendula est sensible à la moisissure et aux aphis (voir Insectes et maladies, plus haut).

Calendula officinalis

CALLISTEPHUS CHINENSIS

ASTER DE CHINE, REINE-MARGUERITE

LES FLEURS DE L'ASTER DE CHINE SONT simples ou doubles et de couleur bleue, blanche, lavande, pourpre, jaune, rose ou rouge. Ses tiges sont longues et coupantes et son feuillage de style basilaire. Il existe quelques types de fleurs différentes: en forme de pompon, de chrysanthème, de pivoine, de cactus ou de plume. La plante pousse à une hauteur de 15 à 90 cm et commence à fleurir au milieu de l'été. Ces plantes se retrouvent dans les jardins de fleurs à couper, dans les plates-bandes et les bordures. Les variétés hautes comprennent: 'Perfection', 'Pompon Splendid', 'Super Princess Symphonie'; les variétés de grandeur moyenne sont 'Crego', 'Early Charm', 'Early Ostrich Plume', 'Fluffy Ruffles', 'Powderpuff' ('Bouquet') et 'Rainbow'. Les variétés naines sont: 'Color Carpet', 'Dwarf Queen', 'Milady', 'Pinnochio' (FS).

■ **COMMENT LE CULTIVER** Les semences peuvent être plantées à l'extérieur, après tout danger de gel ou à l'intérieur, six à huit semaines plus tôt. La germination prend de 10 à 14 jours. Espacez les plants selon leur dimension, de 15 à 38 cm, en plein soleil, dans un sol sablonneux, fertile, riche, humide et bien drainé. Lorsque les fleurs auront été coupées ou seront fanées, la plante ne refleurira plus. Il faut donc partir de nouveaux plants toutes les deux semaines si vous voulez un approvisionnement continu en fleurs coupées. Vous allongerez la saison de floraison en plantant des types qui fleurissent tôt avec des types plus tardifs. Déposez du paillis pour garder les racines fraîches et humides. Cette plante est sensible aux maladies virales, choisissez donc des variétés résistant à la maladie. Ne plantez pas les asters de Chine près du souci et au même endroit deux années de suite (voir Maladies, plus haut).

Callistephus chinensis 'GEM MIXED'

Capsicum annuum 'HOLIDAY CHEER'

CAPSICUM ANNUUM

POIVRIER ORNEMENTAL

UNE DES ANNUELLES LES PLUS REMARQUABLES du jardin est vraiment le poivre fort! De minuscules fleurs en forme d'étoile sont remplacées par des petits fruits ronds, pointus ou coniques, en différentes nuances de blanc, de crème, de chartreuse, de pourpre, de rouge, d'orangé, au fur et à mesure qu'ils mûrissent. Ces grains de poivre amusants et colorés se perchent au-dessus de feuilles vert vif et sur des plants de 10 à 30 cm. Le poivrier ornemental réussit bien dans des plates-bandes, des bordures et des contenants. Il peut être mangé frais ou séché. Les variétés comprennent des: 'Fireworks', 'Holiday Cheer', 'Holiday Flame', 'Holiday Time', 'Masquerade' et 'Red Missile'.

■ **COMMENT LE CULTIVER** Ensemencez à l'intérieur, six à huit semaines avant le dernier gel printanier. Ne couvrez pas les semences qui ont besoin de lumière durant les 21 à 25 jours de germination. Plantez en plein soleil ou à l'ombre très légère, avec un espacement de 15 à 23 cm. Le poivrier ornemental a besoin d'un été long, chaud et humide pour croître et réussir à produire des fruits; il résiste bien à la chaleur et à la sécheresse. Le sol devrait être riche, humide et bien drainé. Le poivrier ornemental est une plante appréciée pendant la saison des fêtes de fin d'année. Afin d'en avoir à cette période, commencez les plants au milieu du printemps, mettez les pots à l'extérieur en été et rentrez-les à l'automne.

CATHARANTHUS ROSEUS

PERVENCHE DE MADAGASCAR, VINCA

LA PERVENCHE POSSÈDE DES FEUILLES vertes et cirées, des fleurs à cinq pétales de couleur blanche ou rose sur des plants de 7,5 à 25 cm, de hauteur, qui s'étalent ou poussent droits. Mettez-la dans des jardinières, des plates-bandes ou des bordures et utilisez-la comme couvre-sol, surtout là où les conditions de croissance ne sont pas bonnes, car elle tolère la chaleur, la sécheresse et la pollution atmosphérique. Les variétés qui croissent au ras du sol sont: les 'Magic Carpet' et les 'Polka Dot'; les variétés droites sont: 'Little Blanche', 'Little Bright Eye', 'Little Delicata', 'Little Pinkie', 'Little Rosie' et 'Little Linda'.

■ **COMMENT LA CULTIVER** Ensemencez à l'intérieur, 12 semaines avant le dernier gel et couvrez les semences qui ont besoin de noirceur pendant les 15 à 20 jours de leur germination. Plantez les pervenches en plein soleil ou à l'ombre partielle, dans une terre de jardin bien drainée. Les variétés qui s'étalent sont plantées à des intervalles de 60 cm, celles qui restent droites à une distance de 15 cm.

Catharanthus roseus 'GRAPE COOLER'

CELOSIA CRISTATA

CÉLOSIE, CRÊTE-DE-COQ

La célosie est une étrange annuelle, à la fois par la couleur de sa fleur et par sa forme. Cette plante lumineuse et inhabituelle se présente en deux formes différentes. L'une, le type plume, possède de longues tiges florales semblables à des plumes. L'autre, le type à crête-de-coq, arbore des fleurs rondes, sillonnées d'arêtes, et ressemblent à la crête d'un coq ou à une cervelle. Les célosies possèdent un arc-en-ciel de couleurs si brillantes qu'elles doivent être plantées avec parcimonie dans le jardin. Les teintes sont: rouge, rose, jaune, crème, abricot, orangé, doré et saumon.

La célosie est disponible en variétés naines de 15 cm de hauteur pour les bordures et les haies et en variétés hautes de 75 cm, qui font merveille au fond d'une bordure ou comme fleurs coupées. Les variétés en forme de plume sont: 'Apricot Brandy' (AAS), 'Castel Pink' (AAS), 'Century Mixed' (AAS, RHS), 'Dwarf Fairy Fountains' (RHS), 'New Look' (AAS), 'Forest Fire' et 'Geisha'. La célosie 'Jewel Box' (RHS) est celle qui possède la meilleure crête.

■ **COMMENT LA CULTIVER** L'ensemencement peut se faire à l'extérieur après que tout danger de gel soit passé, mais pour de meilleurs résultats, commencez à l'intérieur, quatre semaines plus tôt. La germination demande de 10 à 15 jours. Si les plants sont mis au jardin trop tôt, ils fleuriront prématurément, feront des graines et seront ratés. Plantez la célosie en plein soleil, à une distance de 15 à 45 cm, dans un sol riche et bien drainé. La célosie est très résistante à la chaleur et à la sécheresse.

Celosia cristata 'JEWEL BOX YELLOW'

Centaurea Cyanus

CENTAUREA CYANUS

BOUTON D'OR, RENONCULE DOUBLE

LES FLEURS DU BOUTON D'OR SONT DOUBLES, froncées, froissées ou aigrettées. Elles sont surtout bleues, mais peuvent être roses, lavande ou blanches. Elles fleurissent à l'extrémité de tiges en fil de fer et possèdent un feuillage long et mince. Les variétés plus hautes sont tout indiquées pour l'arrière des bordures; les plus courtes sont parfaites en bordures. Le bouton d'or a une longue vie comme fleur coupée et il fait une excellente fleur séchée. Le bouton d'or, comme le renoncule double, croît jusqu'à 30 et même 90 cm de hauteur. 'Blue Boy' est une variété haute; 'Polka Dot' est de taille moyenne et la variété courte s'appelle 'Jubilee Gem'.

■ **COMMENT LE CULTIVER** Les semences ou les plants peuvent être mis au jardin au milieu du printemps, aussitôt que la terre est suffisamment prête. Pour avoir des fleurs hâtives, commencez les semences à l'intérieur, quatre semaines avant de transplanter les plantes à l'extérieur.

La germination demande de 7 à 14 jours et les semences doivent être complètement couvertes, car elles ont besoin d'obscurité pour germer. Là où les hivers sont doux, l'ensemencement peut se faire à l'automne afin de profiter d'une floraison printanière. Les boutons d'or ne fleurissent pas longtemps. Les semences devraient être plantées toutes les deux semaines, durant le printemps et l'été, pour avoir une floraison continue et de la couleur dans la maison.

Espacez les plantes de 15 à 60 cm. Plantez-les en plein soleil et dans un sol léger, riche et sec, bien qu'ils s'adapteront à un sol pauvre. Coupez les fleurs fanées afin de prolonger la floraison. Les boutons d'or ont tendance à être attaqués par la rouille (voir Maladies, plus haut).

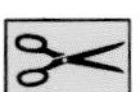 

Cleome hasslerana 'WHITE QUEEN'

CLEOME HASSLERANA

TIBOUCHINA

LA TIBOUCHINA POSSÈDE DES FLEURS de 15 à 18 cm de diamètre. Ses longues étamines ressemblent à des araignées et ses fleurons sont blancs, roses ou lavande. Les feuilles sont composées de cinq à sept folioles et de deux aiguillons à la base de chaque feuille. Les gousses de semences, visibles, sont longues et minces. Les tiges ondulantes du tibouchina, qui poussent jusqu'à 1 ou 2 m, sont jolies à l'arrière d'une bordure ou dans une grande plate-bande. Les tibouchinas les plus connues sont un mélange de 'Colour Fountain' et de 'Queen'.

■ **COMMENT LA CULTIVER** Semez à l'extérieur après que tout danger de gel soit passé ou commencez à l'intérieur, quatre à six semaines à l'avance. La germination nécessite 10 à 14 jours. Plantez la tibouchina avec un espacement de 0,6 à 1 m, dans un sol infertile et dans un endroit chaud qui reçoit beaucoup de soleil. Elle résistera à la grande chaleur et à la sécheresse.

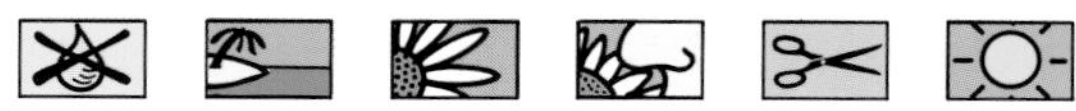

COLEUS X HYBRIDUS

COLÉUS

LE COLÉUS ARBORE UN FEUILLAGE aux combinaisons éclaboussées de vert, de rouge, de chartreuse, de blanc, de doré, de bronze, d'écarlate, d'ivoire, d'orangé, de saumon, de rose, de cuivre, de jaune, d'abricot et de pourpre. Les feuilles sont bordées, tachées ou marquées de couleurs contrastantes et leurs contours peuvent être dentellés, doux, frangés, ondulés ou dentés. Le coléus fleurira tard en été, en hampes de minuscules fleurs bleues ou lavande, mais on cultive le coléus pour son feuillage. Il s'utilise dans les plates-bandes, les bordures ou les contenants. La hauteur de la plante variera de 15 à 90 cm. Les variétés populaires comprennent le 'Carefree', 'Dragon', 'Fiji', 'Poncho', 'Rainbow', 'Saber', 'Wizard' et 'Festive Dance'.

■ **COMMENT LE CULTIVER** Ensemencez à l'intérieur, six à huit semaines avant le dernier gel du printemps. Ne les couvrez pas, car ils ont besoin de lumière pour germer, ce qui demandera 10 à 15 jours. Le coléus peut aussi être multiplié par bouturage. Le coléus réussit mieux dans un endroit partiellement ou entièrement ombragé et doit être espacé de 25 à 30 cm. Le sol doit être riche et humide. Les fleurs peuvent être laissées sur le plant lorsqu'elles se forment, mais si on les enlève, on prolonge la période de coloration vive des feuilles. Cette plante est sensible aux aphis et aux cochenilles des serres (voir Insectes, plus haut).

Coleus x hybridus 'ROSE WIZARD'

Coreopsis tinctoria 'GRANDIFLORA'

COREOPSIS TINCTORIA

CORÉOPSIS

LES FLEURS DU CORÉOPSIS, de 3 cm de diamètre, ressemblent à la marguerite et peuvent arborer du rouge clair, du jaune, du rose, du pourpre: certaines couleurs étant unies, d'autres rayées. Des tiges fines et en fil de fer s'allongent de 20 à 90 cm. Les bonnes variétés à choisir sont les 'Early Sunrise' (AAS, FS) et 'Sunray' (FS).

■ **COMMENT LE CULTIVER** Ensemencez à l'extérieur, à la mi-printemps, mais on aura une floraison hâtive en commençant les semences à l'intérieur, six à huit semaines avant la plantation extérieure. La germination se fait en 5 à 10 jours et nécessite de la lumière. Transplantez soigneusement le coréopsis qui déteste voir ses racines déplacées; espacez les plants de 20 à 30 cm. Il aime le plein soleil et un sol léger, sec, infertile, sablonneux et bien drainé. Coupez les fleurs fanées afin que le plant soit bien propre et qu'il produise plus de fleurs.

COSMOS

COSMOS

LES COSMOS REMPLISSENT LE JARDIN de groupes de plantes échevelées aux tiges minces, soutenant des fleurs simples ou doubles, ressemblant à des marguerites à larges pétales en dents de scie. Il y a deux espèces de cosmos. Le *C. bipinnatus* est le type Sensation mesurant 1 à 1,3 m et au feuillage dentelé. Les fleurs, d'un diamètre de 7,5 à 15 cm, sont de couleur lavande, rose ou blanche. 'Sensation Mixed' et 'Daydream' sont de bonnes variétés. *C. sulphureus* s'appelle le type Klondyke. Son feuillage est plus dense et plus large, ses plants sont habituellement plus courts et ses fleurs jaunes, rouges, dorées, orangées. De bonnes variétés comprennent: 'Bright Lights', 'Diablo', 'Sunny Red' (AAS, FS), 'Sunny Gold', 'Sunny Orange' et 'Sunny Yellow'. Les plus grands plants sont excellents à l'arrière des bordures ou cultivés pour en faire des fleurs coupées; les variétés plus courtes trouveront leur place au milieu de la bordure ou seront regroupées.

■ **COMMENT LE CULTIVER** Les semences peuvent être plantées à l'extérieur après que tout danger de gel soit passé, ou commencées à l'intérieur, cinq à sept semaines avant le dernier gel. La germination demande 5 à 10 jours. Plantez les cosmos à une distance de 23 à 60 cm, selon la dimension qu'ils auront à maturité, dans un endroit chaud en plein soleil. Le sol devrait être sec et infertile. Coupez les fleurs séchées pour que le plant soit propre. Ceux qui sont trop hauts nécessiteront peut-être des tuteurs.

Cosmos bipinnatus 'SENSATION'

Dahlia 'TED'S CHOICE'

DAHLIA

DAHLIA

LES DAHLIAS FLEURISSENT DANS TOUTES LES COULEURS à l'exception du bleu. Elles sont simples ou doubles, rappelant la marguerite, la plume, l'anémone, le cactus, la pivoine, en forme de balle ou de pompon. Ils sont disponibles en variétés mesurant de 0,3 à 1 m comprenant des 'Cactus Flowered', 'Dahl Face', 'Figaro', 'Redskin' (AAS, ABT, FS), 'Rigoletto', 'Showpiece', 'Sunny Red' et 'Sunny Yellow' (FS). Les dahlias apportent de la couleur tout au long de la saison, dans les plates-bandes, les bordures et les contenants. Ils font aussi d'excellentes fleurs coupées.

■ **COMMENT LE CULTIVER** Les dahlias sont cultivés à partir de semences ou de tubercules. La plupart de ceux tirés de semences ont des couleurs imprévisibles, bien que la forme des fleurs et la dimension de la plante seront connues à l'avance. Les tubercules donnent la même plante, de la même couleur, année après année. Que les dahlias proviennent des semences ou des tubercules, de nouveaux tubercules se forment durant la saison de croissance et ils peuvent être retirés après le premier gel de l'automne, entreposés à l'intérieur l'hiver et replantés au printemps suivant.

Pour cultiver les dahlias à partir de semences, commencez à l'intérieur, quatre à six semaines avant le dernier gel. La germination demande 5 à 10 jours. Espacez les plantes de 20 à 60 cm dans un sol léger, riche, humide, fertile et bien drainé. Cette fleur préfère le plein soleil, mais elle poussera et fleurira bien à l'ombre légère.

Les grandes variétés peuvent nécessiter des tuteurs et tous les types profiteront d'avoir leurs fleurs fanées coupées, afin que le plant soit propre et fleurisse mieux. Si l'on préfère les plus grosses fleurs, les bourgeons de côté pourront être enlevés. Les dahlias sont sensibles à certains insectes et aux maladies fongiques, ce qui nécessite une vaporisation régulière de fongicide et d'insecticide tout usage.

Attendez que le gel ait noirci les extrémités supérieures des tubercules avant de les ranger pour l'hiver. Déterrez les dahlias et entreposez-les dans un endroit frais, sec et dans l'obscurité. Vérifiez-les de temps à autre pour vous assurer qu'ils ne sèchent pas. S'ils commencent à pousser, ils reçoivent ou trop de lumière ou trop de chaleur.

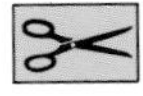

DIANTHUS

ŒILLETS, ŒILLETS DE POÈTE

LES MEMBRES DE LA FAMILLE DE DIANTHUS, les œillets et les œillets de poète, sont de grandes tailles. Les fleurs sont rouges, blanches, roses ou lilas et les pétales de la plupart ont des bordures qui semblent avoir été découpées au ciseau dentelé. Toutes ont une fragrance délicieuse rappelant le clou et d'autres épices. Plantez-les là où leur arôme sera apprécié, dans les rocailles, près des murets de pierres, dans les plates-bandes, les bordures, ou cultivez-les pour en faire des fleurs coupées.

D. barbatus, œillet de poète, pousse à une hauteur de 30 cm et possède des fleurs denses en grappe arrondie. *D. chinensis*, œillet de Chine, atteint 15 à 45 cm de hauteur et ses fleurs simples ou doubles, ondulées, ont un dessus plat. Le feuillage est vert gris et ressemble au gazon. Les variétés populaires comprennent des 'China doll', 'Fire Carpet' (RHS), 'Magic Charms' (AAS), 'Princess', 'Snowfire' (AAS), 'Telstar' (FS), 'Telstar Picotee' (AAS) et des 'Telstar Crimson' (FS). *D. caryophyllus*, œillet de 20 à 60 cm de hauteur, possède des fleurs doubles ondulées. Essayez la 'Scarlet Luminette' (AAS), la 'Crimson Knight' (FS) ou d'autres membres de la série 'Knight' (RHS).

■ **COMMENT LE CULTIVER** Les semences d'œillet doivent être plantées à l'intérieur, six à huit semaines avant le dernier gel; la germination demande 5 à 10 jours. Espacez les plants de 15 à 30 cm, dans un sol léger, riche, alcalin et bien drainé. Ils demandent à être en plein soleil. Enlevez les fleurs fanées afin de stimuler une floraison nouvelle. L'œillet préfère un climat frais à modéré et beaucoup d'humidité. Certains, surtout les nouveaux hybrides, peuvent être vivaces dans certains endroits, là où les hivers n'atteignent pas une température plus basse que -18°C.

Dianthus barbatus

Dianthus caryophyllus 'WITH MUMS'

Dianthus chinensis 'TELSTAR PICOTEE' (AAS)

GAILLARDIA PULCHELLA

GAILLARDE

LA FLEUR DE LA GAILLARDE est double. Elle a la forme d'une balle et mesure 6 cm de diamètre. Sa palette de couleurs brillantes comprend le rouge, le bronze, le caramel ainsi que le marron et ses pétales frangés sont trempés dans le jaune. Les plants bien ramassés poussent à une hauteur de 25 à 60 cm. Plantez-les dans des plates-bandes, des bordures, ou cultivez-les pour en faire des fleurs coupées.

■ **COMMENT LA CULTIVER** Les semences peuvent être plantées à l'extérieur après que tout danger de gel soit passé ou commencées à l'intérieur, quatre à six semaines plus tôt. La germination nécessite 15 à 20 jours. Espacez-les d'une distance égale à leur hauteur maximale. Le sol doit être léger, sablonneux, infertile et bien drainé. La gaillarde préfère le plein soleil et résiste à la chaleur comme à la sécheresse. Enlevez les fleurs fanées. Dans les endroits humides et frais, soyez attentifs aux signes de maladie fongique (voir Maladies, plus haut).

Gaillardia pulchella

Gazania rigens 'MARGUERITE'

GAZANIA RIGENS

GAZANIA

LES FLEURS DE GAZANIA SONT simples et ressemblent à la marguerite. Elles se déploient dans des tons de jaune, doré, orangé, crème, rose ou rouge. Certaines sont rayées, d'autres ont des centres jaunes ou foncés. Les tiges de 20 à 25 cm s'élèvent au-dessus de feuilles vert foncé sur le dessus et blanc feutré ou argenté en-dessous. Dans le jardin, la gazania sera à sa place dans des bordures, des plates-bandes, des contenants ou comme revêtement de sol. Les fleurs se referment la nuit et durant les journées nuageuses. Les variétés comprennent des 'Chansonette', 'Daybreak', 'Mini Star Tangerine' (AAS, FS), 'Mini Star Yellow' (FS), 'Sundance'.

■ **COMMENT LA CULTIVER** Commencez les semences à l'intérieur, quatre à six semaines avant le dernier gel du printemps ou ensemencez à l'extérieur, après tout danger de gel. Les semences doivent être couvertes, car elles nécessitent de l'obscurité pour germer, ce qui demande 8 à 14 jours. Plantez les gazanias à une distance de 20 à 25 cm, en plein soleil, dans un sol léger et sablonneux. La gazania tolère la chaleur et la sécheresse. Il faut couper les fleurs fanées afin de conserver la plante propre et productive. La gazania peut être retirée du jardin à la fin de l'été, mise en pot et gardée à l'intérieur pour plusieurs mois.

Gerbera Jamesonii 'HAPPIPOT'

GERBERA JAMESONII

GERBERA, MARGUERITE DU TRANSVAAL, MARGUERITE BARBERTON

LES FLEURS DE LA GERBERA, d'un diamètre de 12,5 cm, semblables à celles de la marguerite, éclosent une à une sur des tiges sans feuille. Elles ont des nuances d'orangé, de rouge, de rose, de blanc, de jaune, de saumon ou de lavande. Les variétés populaires sont compactes et poussent jusqu'à 30 cm de hauteur. Le feuillage texturé, d'un vert foncé, embrasse le sol et présente un dessous blanc laineux. La gerbera est vivace dans les endroits épargnés par le gel. Plantez-la dans des plates-bandes, des bordures, des contenants; cultivez-la pour en faire des fleurs coupées ou gardez-la à l'intérieur comme plante fleurie. Les variétés de gerbera comprennent des 'Double Parade Mix', 'Happipot' et 'Mardi Gras Mixed'.

■ **COMMENT LA CULTIVER** Commencez les nouvelles semences à l'intérieur, 20 semaines avant le dernier gel du printemps. En semant, placez l'extrémité effilée de la graine vers le bas, mais ne la couvrez pas complètement, car elle a besoin de lumière pour germer, ce qui demande 15 à 25 jours. Plantez les gerberas en plein soleil, dans un sol humide, très riche, fertile et légèrement acide, en les espaçant de 30 à 38 cm. Assurez-vous que la couronne n'est pas plantée sous le niveau du sol. Enlevez les fleurs fanées afin de conserver le plant en bonne condition et pour qu'il puisse fleurir abondamment. Surveillez les limaces et les escargots (voir Insectes, plus haut).

Gerbera Jamesonii

Gomphrena globosa

GOMPHRENA

GLOBULAIRE

Les fleurs de la globulaire sont rondes, en forme de monticule, elles ressemblent à du papier et font penser aux fleurs de trèfle. La globulaire réussit bien dans des plantations massives, dans des bordures et comme fleur coupée ou séchée. La palette de couleurs des fleurs de la *G. globosa* comprend le pourpre, le lavande, le rose, l'orangé, le jaune et le blanc. La *G. Haageana* possède des bractées rouges et des fleurs jaunes.

■ **COMMENT LA CULTIVER** Commencez les semences à l'intérieur, six à huit semaines avant le dernier gel. La germination demande 15 à 20 jours. Couvrez les semences suffisamment, car elles ont besoin d'obscurité pour germer. En trempant les semences dans l'eau avant de les planter, on accélérera la germination. Les semences peuvent être mises en terre à l'extérieur, après tout danger de gel, mais les plants fleuriront plus tard en été. Plantez-les en plein soleil et espacez-les de 25 à 38 cm. La globulaire accepte la sécheresse et la chaleur. Le sol devrait être sablonneux, léger, fertile et bien drainé. Pour en faire des fleurs séchées, coupez-les avant qu'elles ne soient entièrement épanouies et suspendez-les, la tige en haut, dans un endroit aéré, frais et sec.

HELIANTHUS ANNUUS

TOURNESOL

Ces plantes aux larges feuilles rugueuses, duveteuses et un peu collantes sont surmontées par de grandes fleurs simples, ressemblant à celles de la marguerite et sont de couleur jaune, au cœur rouge foncé, pourpre ou brun; les fleurs doubles sont dorées. Les formes naines du tournesol poussent seulement jusqu'à 38 cm, mais la plante traditionnelle, bien connue, atteint 1,3 à 2 m, voire plus. Le tournesol nain est utilisé comme fleur de plate-bande, celui qui est haut sert à innover. Les deux variétés attirent les oiseaux et sont des plantes à mettre dans un jardin d'enfants. Choisissez-les parmi 'Autumn Beauty', 'Color Fashion', 'Italian White', 'Sunbright', 'Sunburst Mixed', 'Sunspot' ou 'Teddy Bear'.

■ **COMMENT LE CULTIVER** Ensemencez à l'extérieur, après tout danger de gel printanier. Les semences peuvent être commencées à l'intérieur et germeront en 10 à 14 jours, mais le tournesol pousse si vite que ceci n'est pas nécessaire. Plantez-les avec un espacement de 0,6 à 1,3 m, en plein soleil, dans un sol léger, sec, infertile, bien drainé. Posez des tuteurs pour supporter les plantes hautes. Les tournesols poussent mieux là où les étés sont chauds.

Helianthus annuus 'PYGMY DWARF'

Helichrysum bracteatum 'GOLD BIKINI'

HELICHRYSUM BRACTEATUM

IMMORTELLE

CES PLANTES EN FORME DE BRANCHES poussent à une hauteur de 30 à 75 cm et possèdent des feuilles étroites et des tiges en fil de fer. Les fleurs formées de bractées, plutôt que de pétales, sont rigides, brillamment colorées et d'une texture de papier dans des tons de rouge, de saumon, de pourpre, de jaune, de rose ou de blanc. L'immortelle est habituellement utilisée comme fleur séchée, bien qu'elle puisse servir de plante de jardin ou de fleur coupée. Le 'Hot Bikini' (FS) et d'autres membres de la famille 'Bikini' sont de bonnes variétés, tout comme le 'Frosted Sulphur/Silvery Rose'.

■ **COMMENT LA CULTIVER** Ensemencez à l'extérieur après que tout danger de gel soit passé, mais vous atteindrez de meilleurs résultats en plantant les semences à l'intérieur, quatre à six semaines plus tôt. Ne couvrez pas les semences qui nécessitent de la lumière durant les 7 à 10 jours de germination. Plantez en plein soleil, à une distance de 23 à 38 cm, dans un sol poreux, fertile et bien drainé. L'immortelle réussit bien là où les étés sont chauds et humides. Pour sécher les fleurs, coupez-les juste avant que les pétales centraux ne s'ouvrent, enlevez le feuillage et suspendez-les par la tige dans un endroit ombragé.

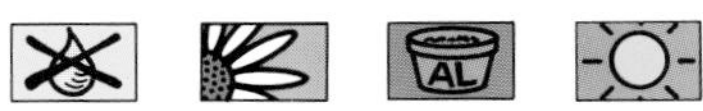

HIBISCUS MOSCHEUTOS

HIBISCUS, ROSE TRÉMIÈRE

CETTE PLANTE RESSEMBLANT à un arbrisseau, d'une hauteur variant de 45 cm à 2 m, est couverte, durant l'été, de grandes fleurs simples à cinq pétales, roses, blancs ou rouges, avec une structure tubulaire proéminente sortant du centre de la fleur. Les tiges sont duveteuses et les feuilles chevelues. 'Dixie Belle' et 'Disco Belle' sont des variétés courtes, alors que 'Southern Belle' est grande. Toutes sont utiles dans des haies ou comme accent, surtout lorsqu'on veut un aspect exotique ou tropical.

■ **COMMENT LE CULTIVER** Les semences peuvent être placées à l'extérieur après que tout danger de gel soit passé ou plantées à l'intérieur six à huit semaines plus tôt. Les semences ont une enveloppe dure. Vous devrez les tailler avec un couteau ou des ciseaux ou les tremper dans l'eau jusqu'à ce qu'elles tombent au fond: elles sont alors prêtes à être plantées. La germination demande de 15 à 30 jours. Plantez l'hibiscus nain d'une distance égale à sa hauteur finale. Il aime le plein soleil ou l'ombre légère ainsi qu'un sol riche, bien drainé et humide. Il tolère les chaudes températures de l'été dans la mesure où il est bien arrosé.

Hibiscus Moscheutos 'DISCO BELLE WHITE'

Hunnemannia fumariifolia

HUNNEMANNIA FUMARIIFOLIA

ARGÉMONE DU MEXIQUE

CETTE ANNUELLE SEMBLE ÊTRE un croisement entre la tulipe et le pavot. Les fleurs sont jaunes, d'un diamètre de 7,5 cm et aux bordures froncées. Les feuilles bleu vert sont duveteuses, douces, finement divisées, comme de la fougère, et couvrent la plante haute de 0,6 m. Elle sert de fleur coupée et comme bordure. 'Sunlight' est la variété la plus populaire.

■ **COMMENT LA CULTIVER** Plantez les semences à l'extérieur après que tout danger de gel soit écarté ou commencez à l'intérieur, quatre à six semaines plus tôt. La germination demande 15 à 20 jours. L'argémone du Mexique n'aime pas être transplantée, il faut donc l'ensemencer dans des pots individuels en tourbe pour minimiser le choc de la transplantation. Les plants doivent être plantés à une distance de 23 à 30 cm, dans un endroit chaud et en plein soleil. Le sol doit être léger, sec, infertile, bien drainé et légèrement alcalin.

IBERIS

IBÉRIDE

L'IBÉRIDE ANNUELLE, comme sa cousine vivace, est excellente dans les bordures, les haies et les rocailles. L'*I. amara*, ibéride fusée, pousse à une hauteur de 45 à 50 cm. Elle est couverte de grandes hampes droites en forme de cônes et porte de radieuses fleurs blanches odoriférantes, ressemblant à des jacinthes déliées. Les feuilles sont grossièrement dentées. Cette espèce est excellente comme fleur coupée. La variété 'Hyacinth Flowered' est populaire. *I. umbellata*, l'ibéride globulaire, fait de 20 à 25 cm de hauteur, est en forme de dôme et ses feuilles sont étroites. Les fleurs en touffes rondes sont roses, écarlates, carmin, lavande, blanches et n'ont pas de parfum. 'Fairy Mixed' et 'Red Flash' (ABT) sont des variétés bien connues.

■ **COMMENT LA CULTIVER** Semez les graines à l'extérieur après que tout danger de gel soit passé. Pour une floraison plus rapide, plantez les graines à l'intérieur, six à huit semaines plus tôt. La germination dure de 10 à 15 jours. Plantez les plants en plein soleil, en les espaçant de 15 à 25 cm, dans un sol moyen et bien drainé. L'ibéride donne de meilleurs résultats dans un climat frais. Une fois les fleurs fanées, coupez-les. Cela revigorera les plants pour les floraisons futures.

Iberis umbellata

Impatiens Balsamina

IMPATIENS BALSAMINA

BALSAMINE

Les fleurs de la balsamine sont cirées, elles poussent près de leur tige et sont simples mais plus souvent doubles. Elles ressemblent à des roses ou des camélias dans des tons de blanc, de rose, de rouge, de pourpre, de lavande, de saumon ou de jaune; elles sont parfois d'une seule couleur, parfois tachetées. Les plantes poussent jusqu'à une hauteur de 25 à 90 cm et sont habillées de feuilles pointues et dentées. La balsamine, fort appréciée dans les jardins victoriens, est encore utilisée dans les plates-bandes, les bordures et les jardinières.

■ **COMMENT LA CULTIVER** Les semences peuvent être plantées à l'extérieur après que tout danger de gel soit écarté ou, pour une floraison hâtive, commencez à l'intérieur, six à huit semaines plus tôt. La germination prend 8 à 14 jours. Plantez la balsamine à une distance de 15 à 38 cm, en plein soleil ou à l'ombre légère, dans un sol riche, fertile, humide et bien drainé. La balsamine résiste à la chaleur.

IMPATIENS 'NEW GUINEA'

BALSAMINE DE NOUVELLE-GUINÉE

La balsamine de Nouvelle-Guinée fut découverte dans les années 1970 par une expédition horticole en Nouvelle-Guinée et introduite dans le monde occidental. Cette balsamine est devenue fort populaire. Plus que leurs fleurs qui s'épanouissent en des teintes de lavande, d'orangé, de rose, de rouge, de saumon et de pourpre, ce sont plutôt leurs remarquables feuilles versicolores en vert, jaune et crème qui sont appréciées dans le jardin. Les plantes poussent de 30 à 60 cm de hauteur. Les balsamines de Nouvelle-Guinée sont parfaites dans les plates-bandes, les bordures, les paniers suspendus et les jardinières. Elles peuvent être cultivées à l'intérieur. Choisissez les séries 'Sunshine', 'Sweet Sue', et 'Tango' (AAS).

■ **COMMENT LA CULTIVER** Les balsamines de Nouvelle-Guinée peuvent être reproduites par enracinement des boutures; 'Sweet Sue' et 'Tango' peuvent être cultivées à partir de semences. Commencez l'ensemencement à l'intérieur, 12 à 16 semaines avant le dernier gel. Les températures doivent être très chaudes durant les 14 à 28 jours de germination. Seulement 50 % des semences germeront normalement, il faut donc en semer plus que nécessaire. À l'extérieur, les plants seront espacés de 30 cm et plantés en partie en plein soleil, dans un sol très riche, humide et bien drainé. Répandez du paillis sur les plants dès qu'ils sont en terre, car un sol frais est nécessaire à une bonne croissance.

Impatiens 'New Guinea'

Impatiens Wallerana 'SUPER ELFIN ROSE'

IMPATIENS WALLERANA

BALSAMINES

LES BALSAMINES SONT AIMÉES pour leur arc-en-ciel de couleurs, leur variété de dimensions, leur floraison constante du printemps au gel d'automne, leur facilité d'entretien, leur capacité de croître à l'ombre, leurs habitudes stables et leur fiabilité. Les balsamines vont des plus courtes, qui couvrent le sol, aux massifs de plantes qui atteignent 45 cm. La majorité des fleurs sont simples et plates, de 2,5 à 5 cm de large et possédant cinq pétales, même s'il existe des variétés doubles. Les couleurs des fleurs comprennent le blanc, le rose, le saumon, l'orangé, l'écarlate, le rouge, le violet, sans compter les bicolores dont les centres sont blancs en étoile. Les balsamines sont plantées sous les arbres, dans des plates-bandes ombragées, des bordures et des jardinières.

Il existe plusieurs variétés de balsamines, comprenant les séries: 'Accent', 'Dazzler', 'Duet' (RHS), 'Futura', 'Mini', 'Novette', 'Princess', 'Rosette' et 'Super Elfin', toutes disponibles dans un vaste choix de couleurs. D'autres bonnes variétés sont 'Orange Blitz' (AAS), 'Starbright' (FS).

■ **COMMENT LA CULTIVER** Ensemencez à l'intérieur, 10 à 14 semaines avant le dernier gel du printemps. La germination se fait en 14 jours. La balsamine peut être multipliée par l'enracinement des boutures. Espacez les plants de 25 à 30 cm pour les types nains et de 45 cm pour les variétés plus grandes. Le sol doit être riche, légèrement humide et bien drainé. La balsamine réussira bien dans des températures variées, y compris la forte chaleur, surtout lorsque l'humidité est élevée. Ne fertilisez pas trop la balsamine, car elle arrêtera de fleurir. Les fleurs fanées se détachent proprement, il en résulte un minimum d'entretien.

IPOMOEA

VOLUBILIS DES JARDINS (GLOIRE DU MATIN)

LE VOLUBILIS DES JARDINS et ses multiples parents sont un grand groupe de vignes annuelles qui croissent rapidement: de 3 à 9 m par année. Il est idéal pour couvrir et masquer les clôtures, les treillis ou d'autres endroits où l'intimité est nécessaire. Les fleurs voyantes sont en forme d'entonnoir. Le volubilis des jardins peut aussi être mis en panier suspendu. L'*I. alba*, l'ipomée, possède des fleurs blanches odoriférantes qui s'ouvrent le soir. L'*I. X multifida*, une grimpante, a des fleurs rouges. L'*I. Quamoclit*, une vigne cyprès, possède des fleurs rouges, roses ou blanches. Les volubilis des jardins en vigne, bien connus, appartiennent à un de ces trois genres: *I. Nil*, *purpurea* et *tricolor*. Les fleurs sont bleues, pourpres, roses, rouges ou blanches, s'ouvrant le matin et se refermant l'après-midi.

■ **COMMENT LE CULTIVER** L'ensemencement peut commencer à l'intérieur, dans des pots individuels, quatre à six semaines avant le dernier gel, ou à l'extérieur, après tout danger de gel. La germination prend de cinq à sept jours. Les semences ont une enveloppe dure; percez-les avec une lime ou un petit ciseau ou trempez-les pendant 24 heures dans l'eau tiède.

Espacez les plants de 30 à 45 cm. Aussi, plantez-les en plein soleil, dans un sol léger, infertile, sec et bien drainé. Un treillis ou une autre forme de support sera nécessaire.

Ipomoea tricolor 'HEAVENLY BLUE'

Kochia scoparia forma *trichophylla*

KOCHIA SCOPARIA FORMA *TRICHOPHYLLA*

CYPRÈS D'ÉTÉ, FRAXINELLE (BUISSON ARDENT)

DURANT PRESQUE TOUT L'ÉTÉ, le cyprès d'été apporte peu au jardin, mais au début de l'automne, il commence à devenir d'un rouge cerise vif et attire l'attention. La plante a un aspect de conifère dense et est en forme de globe, de 1 m de hauteur, avec un feuillage étroit semblable à des plumes. Les fleurs verdâtres sont insignifiantes et presque invisibles. Placez le cyprès d'été en haie ou comme un simple ajout au jardin.

■ **COMMENT LE CULTIVER** Les semences peuvent être plantées à l'extérieur après que tout danger de gel soit écarté ou commencées à l'intérieur, quatre ou six semaines plus tôt. Ne couvrez pas les semences qui ont besoin de lumière durant les 10 à 15 jours de germination. Espacez les plants de 45 à 60 cm, en plein soleil et dans un sol sec bien drainé. Les plantes réussissent mieux dans un climat chaud. Elles se taillent aisément pour obtenir une forme symétrique. Les graines tombent facilement et germent rapidement, ce qui peut poser un problème.

LATHYRUS ODORATUS

POIS DE SENTEUR

LE POIS DE SENTEUR EST de deux types: les vignes annuelles qui grimpent jusqu'à 2 m et les plantes fournies qui atteignent 0,75 m de hauteur. Les fleurs ont une fragrance délicieuse et leurs couleurs sont pourpre, rose, rouge, blanche, bleue. Certaines sont d'une seule couleur, d'autres bicolores. Les variétés comprennent: 'Bijou', 'Lady Fairbairn' (RHS), 'Maggie May', 'North Shore' (RHS), 'Pagentry' (RHS), 'Penine Floss' (RHS), 'Red Ensign' (RHS), 'Royal Family', 'Royal Flush' (RHS), 'Snoopea' (RHS), 'Supersnoop', 'Superstar' (RHS) et 'Wiltshire Ripple' (RHS).

■ **COMMENT LE CULTIVER** Ensemencez à l'extérieur, tôt au printemps lorsque le sol peut être remué; dans les endroits doux, les semences peuvent être déposées à l'automne pour avoir une floraison hâtive le printemps suivant. Les semences peuvent aussi être plantées à l'intérieur, quatre à six semaines avant la plantation extérieure, mais l'ensemencement dans des pots individuels est recommandé, car le pois de senteur n'aime pas être transplanté. Trempez les graines dans l'eau pendant 24 heures avant de les planter ou limez l'écorce dure pour hâter la germination qui exigera 10 à 14 jours. Couvrez les semences qui ont besoin d'obscurité pour germer. Les plants de type fourni seront espacés de 38 cm; ceux en forme de vigne devraient être espacés de 15 à 20 cm. Donnez aux grimpants un treillis ou un autre genre de support et placez les deux types en plein soleil. Le sol doit être profondément préparé, riche, humide et légèrement alcalin. Couvrez le sol de paillis pour le garder frais et humide. Le pois de senteur réussit bien à la fraîcheur et à l'abri des vents desséchants. Enlevez les fleurs fanées pour prolonger la floraison.

Lathyrus odoratus

Lavatera trimestris 'MONT BLANC' (FS)

LAVATERA TRIMESTRIS

LAVATÈRE

LES FLEURS DE 10 CM, roses, rouges ou blanches, en forme de coupe, ressemblent aux passeroses et se forment dans l'aisselle de la feuille supérieure. Les feuilles sont vert foncé, de la forme de l'érable et passent souvent au bronze dans une température fraîche. Les plants ont des tiges chevelues qui poussent de 0,6 à 1 m de hauteur. Pour des bordures, des haies, en arrière-plan ou pour faire écran, la lavatère est un bon choix. Les variétés 'Mont Blanc' (FS), 'Mont Rose', 'Silver Cup' (FS) et 'Splendens' sont les plus connues.

■ **COMMENT LA CULTIVER** L'ensemencement peut être commencé à l'intérieur, tôt au printemps. Mais, il est préférable de le faire à l'extérieur au milieu du printemps. Dans les endroits doux, les semences peuvent être plantées à l'extérieur, à l'automne, pour germer et croître au printemps suivant. La germination prend 15 à 20 jours. Plantez en plein soleil et espacez-la de 38 à 60 cm dans un sol sec, bien drainé. Coupez les fleurs fanées pour prolonger la floraison. La lavatère réussit mieux là où les nuits sont fraîches.

LOBELIA ERINUS

LOBÉLIE

On cultive d'abord la lobélie pour sa multitude de petites fleurs allant du bleu au pourpre, mais elle possède aussi des variétés dont les fleurs sont blanches ou roses. Cette plante pousse à 10 cm de hauteur et s'étale sur une largeur de 25 cm. Elle garnit les bordures, les lisières, le sol, les rocailles et les contenants. Les variétés populaires sont: 'Blue Moon', 'Cascade', 'Crystal Palace', 'Rosamund' et 'White Lady'.

■ **COMMENT LA CULTIVER** Commencez les semences à l'intérieur, 10 à 12 semaines avant le dernier gel. Ne couvrez pas les semences et procurez-leur un environnement chaud, d'une température de 24°C, durant la germination qui dure de 15 à 20 jours. Plantez la lobélie dans un espacement de 20 à 25 cm, en plein soleil ou dans l'ombre partielle, dans un sol riche, humide et bien drainé. La lobélie pousse mieux là où les étés sont frais. Les fleurs fanées se détachent facilement. Les plants dont les tiges sont trop grandes peuvent être coupés, afin de favoriser une pousse plus fournie et une floraison plus abondante.

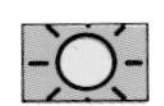

Lobelia Erinus 'BRIGHT EYES'

Lobularia maritima

LOBULARIA MARITIMA

ALYSSE ODORANTE

LES PLANTS POUSSENT de 7,5 cm jusqu'à 10 cm de hauteur et de 30 cm de large. Ils sont recouverts de grappes arrondies de minuscules fleurs à la senteur douce et de couleur blanche, rose, lavande ou pourpre. Le feuillage est linéaire et comme une aiguille. Choisissez l'alysse pour les lisières, les bordures ou les contenants, surtout aux endroits où son parfum sera apprécié. De bonnes variétés comprennent 'Carpet of Snow', 'Rosie O'Day' (AAS), 'Royal Carpet', 'Snow Cloth', 'Snow Crystals' (FS) et 'Wonderland' (FS).

■ **COMMENT LE CULTIVER** Les semences peuvent être plantées à l'extérieur, quelques semaines avant le dernier gel attendu, ou commencées à l'intérieur, quatre à six semaines plus tôt. Ne couvrez pas les semences puisque la lumière est nécessaire à la germination, qui demande 8 à 15 jours. Les semences sont très sensibles à la fonte des semis (voir Maladies, plus haut). Plantez à une distance de 25 à 30 cm, en plein soleil ou dans une ombre partielle et dans un sol moyen, bien drainé. L'alysse préfère l'humidité, mais accepte la sécheresse. Même si les nuits fraîches lui sont favorables, elle poussera bien, mais avec une floraison moindre dans les endroits chauds. Les fleurs tombent proprement lorsqu'elles sont fanées et les plants peuvent être rabattus, afin de les rendre plus touffus et plus fleuris, s'ils deviennent trop grands.

MATTHIOLA INCANA

GIROFLÉE DES JARDINS

LA GIROFLÉE DES JARDINS POUSSE à une hauteur de 30 à 45 cm et produit des hampes rigides de fleurs simples ou doubles en forme de croix. Les fleurs sont rouges, blanches, crème, roses, bleues, pourpres au sommet de feuilles étroites bleu gris. Certaines espèces produisent seulement une hampe florale et sont connues comme étant de type colomnaire; d'autres ont plusieurs branches et sont plus compactes. Toutes sont des bisannuelles cultivées comme des annuelles. La giroflée est une jolie plante pour un jardin formel et fait une merveilleuse fleur coupée, mais sa caractéristique particulière est son parfum, surtout le soir. Les fleurs de la giroflée s'épanouissent sept semaines ou dix semaines après la germination. De bonnes variétés comprennent: 'Trysomic 7-Week', 'Giant Imperial', 'Midget', 'Dwarf 10-Week', 'Stockpot' et 'Beauty of Nice', qui sont des types à plusieurs branches, et 'Giant Excelsior', du type colomnaire.

■ **COMMENT LE CULTIVER** Les plants peuvent être mis en terre au jardin au milieu du printemps, environ quatre semaines avant le dernier gel attendu. Commencez les semences à l'intérieur, six à huit semaines plus tôt. Ne couvrez pas les semences puisque la lumière est nécessaire pour la germination, qui demande de 7 à 10 jours. Espacez la giroflée de 30 à 38 cm, mettez-la en plein soleil et dans un sol léger, sablonneux, riche, fertile et humide. Cette fleur pousse mieux dans un climat froid. Enlevez les fleurs fanées afin de prolonger la floraison. Pour toutes les fleurs doubles, choisissez les pousses dont les feuilles sont du vert le plus pâle.

 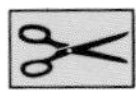   

Matthiola incana 'WHITE CHRISTMAS'

Mimulus x hybridus

MIMULUS X HYBRIDUS

MIMULUS

LES FLEURS DU MIMULUS SONT tubulaires et à deux lèvres. Elles ressemblent à un croisement de pétunia et de muflier. Les pétales sont jaunes, dorés, rouges et souvent tachetés d'une couleur contrastante, qui rappelle la face du singe. Les plantes poussent à une hauteur de 15 à 25 cm et s'épanouissent dans des plates-bandes, des bordures ou des contenants. Les variétés comprennent: 'Calypso' (RHS), 'Malibu' et 'Velvet'.

■ **COMMENT LE CULTIVER** Les semences doivent être commencées à l'intérieur, six à huit semaines avant la date de plantation à l'extérieur. Ne couvrez pas les semences, car elles ont besoin de 13 heures de lumière par jour pour germer, ce qui demande 7 à 14 jours. Plantez à l'extérieur, du début au milieu du printemps aussitôt que la terre est suffisamment prête, dans un espacement de 15 cm et dans un sol riche, humide et bien drainé. Le mimulus s'épanouit mieux à l'ombre ou à l'ombre partielle, même s'il poussera aussi en plein soleil si la température est fraîche et l'humidité élevée.

MIRABILIS JALAPA

NYCTAGE, BELLE-DE-NUIT

CETTE PLANTE AUX BRANCHES NOMBREUSES, de 45 à 90 cm de hauteur, possède des fleurs parfumées en forme de trompette ou d'entonnoir, blanches, rouges, jaunes, roses ou violettes. Les fleurs sont unies, tachetées, rayées, veinées ou éclaboussées de couleurs contrastantes. Elles s'épanouissent l'après-midi et restent ouvertes jusqu'au matin suivant. Lorsque le ciel est couvert, les fleurs demeurent ouvertes toute la journée. La nyctage est très jolie à l'arrière d'une bordure ou comme haie, même si le plant en soi n'est pas très attirant.

■ **COMMENT LA CULTIVER** Ensemencez à l'extérieur après que tout danger de gel soit passé ou, pour de meilleurs résultats, commencez les semences à l'intérieur, quatre à six semaines plus tôt. La germination demande de 7 à 10 jours. Espacez les plants de 30 à 45 cm et plantez-les en plein soleil, dans un sol léger, fertile et bien drainé. La nyctage se contente d'un sol pauvre et de la chaleur de l'été, bien qu'elle réussira à une température fraîche. Même si les racines peuvent être déterrées et entreposées en hiver, de la même façon que les dahlias, la nyctage est tellement facile à cultiver et se réensemence si facilement, que cela n'est pas nécessaire.

Mirabilis Jalapa

Nemesia strumosa

NEMESIA STRUMOSA

NÉMÉSIE

DES GRAPPES DE FLEURS TUBULAIRES en forme de coupe, possédant un sac à leur base, s'épanouissent en blanc, jaune, bronze, bleu, écarlate, orangé, doré, rose, crème et lavande, soit en couleur unie ou bicolore. Les feuilles sont jolies et finement dentées. Les plants de 20 à 45 cm sont utiles dans des rocailles, des bordures, des lisières et des contenants. Les variétés comprennent des 'Carnival Mixed', des 'Mello' et des 'Tapestry'.

■ **COMMENT LA CULTIVER** Ensemencez à l'extérieur après que tout danger de gel soit passé ou, pour de meilleurs résultats, commencez les semences à l'intérieur, quatre à six semaines plus tôt. Les semences doivent être complètement couvertes, car elles ont besoin d'obscurité pour germer, ce qui demande 7 à 14 jours. Plantez-les à une distance de 15 cm, en plein soleil ou dans une ombre légère et un sol riche, humide et bien drainé. Pincez les bourgeons, lorsque vous la plantez au jardin, pour stimuler une croissance plus touffue. La némésie pousse mieux si l'été est frais et l'humidité restreinte.

NEMOPHILA MENZIESII

NEMOPHILA

La nemophila est décorative, ses feuilles sont très découpées et ont la forme d'une cloche, ses fleurs très odoriférantes sont habituellement bleues avec un centre blanc. Les tiges rampantes s'étalent pour remplir un espace de 30 cm de large et de 15 cm de haut. La nemophila est un bon choix pour les rocailles, un revêtement de sol, des jardins de fleurs sauvages ou des plates-bandes, car sa fleur est glorieuse.

■ **COMMENT LA CULTIVER** Semez à l'extérieur, tôt au printemps dès que la terre est prête. Dans les endroits chauds, les semences peuvent être plantées à l'automne pour avoir de la couleur le printemps suivant. Les semences peuvent aussi être commencées à l'intérieur, six semaines avant la date de plantation à l'extérieur, en autant qu'une température de 13°C puisse être maintenue durant la germination, qui demande de 7 à 12 jours. Espacez les plants de 20 à 30 cm et plantez-les en plein soleil ou, de préférence, à l'ombre légère. Le sol devrait être léger, sablonneux et bien drainé. La nemophila se réensemence au fur et à mesure, ce qui la rend presque vivace dans les endroits frais, là où elle pousse le mieux. Elle aime aussi être à l'abri du vent.

Nemophila Menziesii

Nicotiana alata 'DOMINO'

NICOTIANA ALATA

NICOTINE

La nicotine est une très jolie parente du tabac cultivé commercialement (*N. Tabacum*). Les variétés modernes sont d'une hauteur de 25 à 45 cm, compactes et arborent des fleurs en forme de trompette, jaunes, pourpres, vertes, rouges, roses et blanches, qui croissent en groupe relâché. Les feuilles sont duveteuses et légèrement collantes. La nicotine produit un bel effet lorsqu'elle est plantée en masse ou dans une bordure. De bonnes variétés sont les séries 'Domino' et 'Sensation'.

■ **COMMENT LA CULTIVER** Les semences peuvent être plantées à l'extérieur après que tout danger de gel soit passé, mais pour une floraison hâtive, commencez les semences à l'intérieur, six à huit semaines au préalable. La germination demande 10 à 20 jours; les semences ne devraient pas être couvertes, car elles ont besoin de lumière pour germer. La nicotine s'épanouit en plein soleil ou dans une ombre partielle. Espacez les plants de 25 à 30 cm, dans un sol riche et bien drainé. La nicotine accepte la chaleur si l'humidité est forte et les plants bien arrosés. Nettoyez les plants en coupant les tiges des fleurs fanées. La nicotine se réensemence librement.

NIEREMBERGIA HIPPOMANICA

NIEREMBERGIE (SOLANALE)

LES FLEURS EN FORME DE COUPE, d'un bleu violet, couvrent des monticules de plants de 15 à 30 cm de hauteur, dont les feuilles chevelues ressemblent à de la fougère. Placez la nierembergie dans des plates-bandes, des bordures, comme lisières ou dans des rocailles. 'Purple Robe' est la variété la plus connue.

■ **COMMENT LA CULTIVER** Ensemencez à l'intérieur, 10 à 12 semaines avant le dernier gel printanier. Elle germe en 15 à 20 jours. Plantez tous les 15 à 23 cm, en plein soleil ou dans un sol léger, humide, bien drainé.

Nierembergia hippomanica 'PURPLE ROBE'

Nigella damascena 'MISS JECKYL'

NIGELLA DAMASCENA

NIGELLE

LES FLEURS DE LA NIGELLE SONT roses, bleues, blanches et pourpres. Elles ont la forme de boutons d'or, leurs pétales sont effilés et leurs étamines proéminentes. Les fleurs sont entourées d'une corolle de feuillage fin comme un fil, vaporeux, sur des tiges fines à plusieurs branches, d'une hauteur de 30 à 60 cm. Des gousses piquantes, rondes, de couleur vert pin marquées de rouge, sont utilisées pour aromatiser les aliments et ont un peu le goût de la muscade. La nigelle est parfois appelée fleur de fenouil. Les fleurs coupées servent à faire des arrangements floraux; la gousse est utilisée dans des bouquets de fleurs séchées. Les variétés populaires sont 'Persian Jewels' et 'Miss Jeckyl'.

■ **COMMENT LA CULTIVER** La période de floraison de la nigelle est courte. Il faut donc ensemencer en séquence, à l'extérieur, du début du printemps au début de l'été, pour obtenir une floraison continue. Les semences peuvent être commencées à l'intérieur, quatre à six semaines avant d'être plantées à l'extérieur, mais puisque la nigelle n'aime pas la transplantation, ensemencez-les dans des pots individuels et transplantez-les avec soin. La germination nécessite 10 à 15 jours. L'espacement final doit mesurer de 20 à 25 cm. Plantez-les en plein soleil, dans un jardin humide et bien drainé. La nigelle préfère une température fraîche et tolère le gel.

PAPAVER

PAVOT

LES FLEURS DE PAVOT SONT SIMPLES ou doubles, d'une texture de papier crêpé avec un grand centre noir. Les tiges en fil de fer se ramifient au-dessus de feuilles profondément entaillées. *P. nudicale*, le pavot d'Islande, possède des fleurs blanches, roses, jaunes, orangées ou rouges, sur des tiges de 0,3 m. *P. Rhoeas*, le coquelicot ou le coquelicot anglais à grandes fleurs simples, pousse jusqu'à 1 m et ses fleurs sont rouges, pourpres ou blanches.

■ **COMMENT LE CULTIVER** Les semences peuvent être plantées à l'extérieur, tard à l'automne ou tôt au printemps. Elles peuvent aussi être commencées à l'intérieur, mais une température fraîche de 13°C est requise et les plantes se transplantent difficilement. Couvrez complètement les semences, car elles ont besoin d'obscurité pour germer, ce qui demande 10 à 15 jours. Plantez les semences du coquelicot anglais à grandes fleurs simples toutes les deux semaines, durant le printemps et tôt à l'été, pour assurer une floraison continue. Espacez les plants de 23 à 30 cm. Aussi, plantez-les en plein soleil, dans un sol riche, sec et très bien drainé.

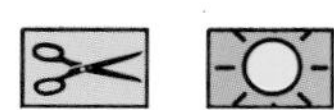 

Papaver Rhoeas

Papaver nudicale

PELARGONIUM

GÉRANIUM

LE GÉRANIUM EST UNE DES FLEURS de jardin les plus populaires dans les plates-bandes, les bordures et les contenants. Le géranium de jardin, *P. x hortorum*, possède des gerbes rondes de fleurs simples ou doubles qui peuvent mesurer jusqu'à 12,5 cm de diamètre et qui s'épanouissent au-dessus de tiges sans feuille de 20 à 60 cm. Les fleurs sont de couleur blanche, rose, saumon, corail, lavande ou rouge. Le géranium zonal et certaines des feuilles en forme de cœur ont des zones brunes ou noires, alors que les autres sont d'un vert uni. Les géraniums sont disponibles en variétés propagées soit par bouturage soit par ensemencement. Les types bouturés réussissent mieux dans les contenants et les types ensemencés résistent mieux à la chaleur, la forte humidité et aux maladies. Ils progressent mieux dans les massifs en plates-bandes. Les variétés populaires cultivées à partir de boutures sont: 'Cherry Blossom', 'Glacier', 'Sincerity', 'Snowmass', 'Sunbelt', 'Veronica' et 'Yours Truly'. Les variétés populaires provenant de semences sont les séries 'Diamond' (AAS, FS), 'Elite', 'Hollywood' (FS, RHS), 'L'Amour', 'Orbit', 'Pinto', 'Ringo', 'Sprinter' (ABT, FS), 'Video' (RHS), disponibles en plusieurs couleurs, et 'Double Steady Red'. Les géraniums 'Martha Washington', 'Lady Washington' ou 'Regal', *P. domesticum*, ont des lobes profonds, des feuilles dentelées et de grandes fleurs, dans la même gamme de couleurs que d'autres géraniums, mais avec des taches sombres sur les pétales supérieurs. Les géraniums lierre, *P. peltatum*, sont des choix populaires pour garnir les paniers suspendus ou couvrir le sol. Les feuilles ont la forme du lierre sur des tiges de 90 cm. Les fleurs sont semblables, en forme et en couleur, au géranium zonal, mais sont regroupées plus mollement. Les variétés populaires sont 'Cascade' et 'Summer Showers' (FS).

■ **COMMENT LE CULTIVER** Les boutures de géraniums sont enracinées dans un sable grossier. Les semences sont plantées à l'intérieur, 12 à 16 semaines avant le dernier gel. La germination se fait en 5 à 15 jours. Les géraniums lierre sont propagés par bouturage et 'Summer Showers' est cultivé à partir de semences comme pour le géranium zonal. Le 'Martha Washington' est propagé par bouturage. Puisque le bouturage peut propager des virus, il est préférable d'acheter des plants qui ont été cultivés commercialement, plutôt que de cultiver les vôtres, car les horticulteurs professionnels peuvent vous assurer des plantes sans virus.

Espacez les plants de 20 à 30 cm dans un sol riche, légèrement humide, fertile et bien drainé. Le géranium zonal doit être cultivé en plein soleil, le géranium lierre et le 'Martha Washington' préfèrent l'ombre légère. Le 'Martha Washington' peut être cultivé seulement dans un climat frais. Coupez les fleurs fanées pour stimuler la floraison. Le géranium peut être déraciné en automne et cultivé à l'intérieur.

Pelargonium x hortorum 'HOLLYWOOD STAR'

Pelargonium domesticum 'DELILAH'

Perilla frutescens

PERILLA FRUTESCENS

PÉRILLE

Les feuilles dentées d'un rouge pourpre sombre ont un éclat métallique bronze. Même si le plant de 45 à 90 cm de hauteur porte des fleurs lavande pâle, roses ou blanches à la fin de l'été, il est cultivé surtout pour son feuillage. Il est utilisé dans les bordures et les aménagements où un feuillage coloré est essentiel. Les variétés comprennent le 'Atropurpurea' et le 'Crispa'.

■ **COMMENT LA CULTIVER** Ensemencez à l'extérieur après tout danger de gel ou commencez à l'intérieur, quatre ou six semaines plus tôt. Ne couvrez pas les semences, car la lumière est nécessaire durant les 15 à 20 jours de germination. Transplantez soigneusement: elle n'aime pas que ses racines soient dérangées. Plantez à tous les 30 à 38 cm, en plein soleil ou à l'ombre légère, dans un sol moyen ou sec, fertile et bien drainé. Pincez lorsque la plante atteint 15 cm, afin de stimuler une croissance touffue. Si vous la laissez fleurir, elle se réensemencera.

PETUNIA X HYBRIDA

PÉTUNIA

Les pétunias ont l'habitude de s'étendre et de cascader; leurs fleurs adoptent toutes les couleurs de l'arc-en-ciel. Plusieurs sont d'une seule couleur; d'autres sont éclaboussées, étoilées, zonées, diaprées, rayées, veinées ou jaspées (marges blanches). Il y a deux classes de base chez les pétunias. Les pétunias multiflora produisent de petites fleurs en abondance, alors que les types grandiflora ont peu de fleurs quoique plus grandes. Les pétunias multiflora résistent mieux aux maladies. Les deux classes comprennent les variétés simples, en forme de trompettes, et les variétés doubles. Les pétunias fleurissent superbement sur des feuilles duveteuses dans les plates-bandes, les bordures ou les contenants. Les grandiflora simples comprennent les séries: 'Cascade', 'Supercascade', 'Cloud', 'Daddy' (AAS), 'Falcon', 'Flash', 'Frost', 'Magic', 'Supermagic', 'Picotee' (FS), 'Prio' (RHS), 'Sails', 'Ultra', 'Appleblossom' (AAS) et 'Ultra Crimson Star' (AAS). Les doubles grandiflora

Petunia x hybrida 'ULTRA CRIMSON STAR' (AAS)

Petunia x hybrida 'RESISTO DWARF ROSE'

comprennent le 'Blue Danube' et le 'Purple Pirouette' (AAS). Les simples multiflora comprennent les séries: 'Carpet', 'Joy', 'Madness', 'Pearls', 'Plum', 'Polo' (AAS), 'Resisto' et 'Comanche' ainsi que 'Summer Sun'. Le double multiflora le plus connu est celui de la série 'Tart'.

■ **COMMENT LE CULTIVER** Commencer l'ensemencement à l'intérieur, 10 à 12 semaines avant le dernier gel printanier. Ne couvrez pas les délicates semences, elles ont besoin de lumière pour germer en 10 jours. Les semences des doubles et des hybrides demandent plus de chaleur pour germer. Espacez les plants de 20 à 30 cm en les plantant au soleil ou à l'ombre légère. Le sol devrait être sablonneux, sec et bien drainé. Pincez au moment de la plantation pour stimuler une floraison touffue et rabattez les plants lorsqu'ils deviennent trop grands.

PHLOX DRUMMONDII

PHLOX

LE PHLOX ANNUEL EST une plante ramassée, en forme de monticule, d'une hauteur de 15 à 45 cm. Les fleurs rondes ou de forme étoilée poussent en touffes. Les couleurs de sa fleur sont le blanc, le rose, le bleu, le rouge, le saumon et le lavande. Le phlox est utilisé pour les lisières, les plates-bandes, les bordures, les rocailles et les contenants. Les variétés comprennent les séries: 'Brilliant', 'Dwarf Beauty' (RHS), 'Globe', 'Petticoat' et 'Twinkle'.

■ **COMMENT LE CULTIVER** Les semences peuvent être plantées à l'extérieur, au printemps aussitôt que la terre est prête ou commencées à l'intérieur, dans des pots individuels, 10 semaines plus tôt. Une pièce fraîche est essentielle à la germination qui se fait en 10 à 15 jours. Couvrir les semences complètement pour assurer l'obscurité nécessaire à la germination. Le phlox annuel est très sensible à la fonte des semis. Plantez-le en plein soleil, dans un espacement de 15 cm et dans un sol riche, léger, fertile, humide et bien drainé. Enlevez les fleurs fanées; la taille des plants favorise la densité et une floraison supplémentaire. Le phlox supporte assez bien la chaleur, bien qu'on puisse observer une baisse de la floraison au milieu de l'été.

Phlox Drummondii 'PETTICOAT PINK'

Portulaca grandiflora

PORTULACA

ROSE MOUSSUE, POURPIER

LE POURPIER RESSEMBLE À UNE VIGNE. Il se répand sur le sol à une hauteur de 10 à 15 cm et est surtout utilisé comme lisière, bordure, revêtement de sol ou dans des contenants. La majorité des fleurs se ferment le soir, à l'ombre ou les jours nuageux. Le pourpier le plus connu est le *P. grandiflora*, dont les feuilles ressemblent à des aiguilles et les fleurs froncées, simples ou doubles sont roses, rouges, dorées, jaunes, crème, orangées, blanches et saumon. 'Calypso', 'Cloudbeater', 'Sundance', 'Sunnyboy' et 'Sunnyside' sont des variétés communes. *P. oleracea* 'Giganthea' a des fleurs jaunes doubles; 'Wildfire' est une bonne variété.

■ **COMMENT LE CULTIVER** Ensemencez à l'extérieur après que tout danger de gel soit écarté ou commencez à l'intérieur, 8 à 10 semaines plus tôt. La germination demande 10 à 15 jours. Espacez les plants de 30 à 38 cm. Aussi, plantez-les en plein soleil, dans un sol sec, infertile, bien drainé. Le pourpier supporte la chaleur et la sécheresse. Les fleurs tombent proprement lorsqu'elles sont fanées et cette plante se réensemence facilement.

PRIMULA

PRIMEVÈRE

LES PRIMEVÈRES SONT un grand groupe de plantes de 30 cm avec de grandes feuilles texturées, oblongues ou en forme de cœur et de brillantes fleurs de plusieurs couleurs, dont certaines arborent d'intéressants contrastes et particularités. Les fleurs simples fleurissent en grappes sur le dessus des tiges sans feuille. Alors que plusieurs primevères sont vivaces, d'autres sont des annuelles cultivées en pots, dans des plates-bandes rigoureuses, des bordures ou des jardins ombragés. *P. malacoides*, la primevère fée, arbore des fleurs roses, lavande ou blanches en grappes informes. *P. obconica*, primevère allemande, fleurit en pourpre, rose, rouge ou blanc. Certaines personnes sont allergiques au feuillage de cette primevère. *P. X polyantha* est une vivace de courte durée cultivée comme une annuelle. Ses fleurs sont blanches, pourpres, bleues, rouges, roses ou jaunes, dont plusieurs ont un centre de couleur contrastante.

■ **COMMENT LA CULTIVER** Ensemencez à l'extérieur, tard à l'automne ou tôt au printemps ou encore commencez à l'intérieur, jusqu'à six mois avant de planter dehors. La germination se fait en 21 à 40 jours. Ne couvrez pas les délicates semences, car elles ont besoin de lumière pour germer. Espacez les plants de 20 à 25 cm, en les plantant à l'ombre partielle, dans un sol riche, humide, fertile, frais, légèrement acide et bien drainé.

Primula malacoides 'LOVELY ROSE'

Primula X polyantha

Primula obconica 'APPLE BLOSSOM'

Rudbeckia hirta 'DOUBLE GOLD'

RUDBECKIA HIRTA

RUDBECKIE

ASSOCIÉE À LA 'BLACK-EYED SUSAN', la rudbeckie pousse à une hauteur de 20 à 90 cm. Les fleurs simples ou doubles sont dorées, jaunes, bronze, orangées, brunes, ébènes et souvent zonales ou rayées avec des centres de forme conique bruns, jaunes, verts ou noirs. La rudbeckie pousse bien dans les bordures et les jardins de fleurs sauvages. Elles font de belles fleurs coupées. De bonnes variétés sont le 'Goldilocks' (FS), le 'Irish Eyes' et le 'Marmalade'.

■ **COMMENT LA CULTIVER** Ensemencez à l'intérieur, six à huit semaines avant le dernier gel. La germination se fait en 5 à 10 jours. Espacez les plants de 30 à 60 cm, en plein soleil ou à l'ombre légère. Aussi, plantez-les dans un sol de jardin régulier. La rudbeckie résiste à la chaleur et à la sécheresse. Coupez les fleurs fanées. Elles sont sensibles à la moisissure (voir Maladies, plus haut).

SALPIGLOSSIS SINUATA

SALPIGLOSSIS

LES FLEURS DU SALPIGLOSSIS, en forme de trompette, sont tubulaires, veloutées, très veinées ou texturées, dans les tons de pourpre, de rouge, de jaune, de bleu et de rose. Le plant atteint une hauteur de 60 à 90 cm; le feuillage et les tiges sont légèrement chevelus. Mettez-les dans des bordures, en arrière-plan, et cultivez-les pour en faire des fleurs coupées. 'Bolero', 'Emperor', 'Kew Blue' et 'Splash' sont de bonnes variétés.

■ **COMMENT LE CULTIVER** Ensemencez à l'extérieur, au milieu du printemps, quelques semaines avant le dernier gel pressenti, ou commencées à l'intérieur, huit semaines plus tôt. Les semences, très petites, ne devraient pas être couvertes. Elles ont besoin d'obscurité pour germer: couvrez les plateaux de semences d'un plastique noir jusqu'à ce que la germination soit terminée. Elle demande 15 à 20 jours. Plantez en plein soleil, dans un espacement de 20 à 30 cm, dans un sol riche, léger, humide, alcalin et très bien drainé. Étendez du paillis pour que le sol conserve sa fraîcheur. Le salpiglossis s'épanouit mieux si l'été est frais. Les variétés hautes auront besoin de tuteurs.

Salpiglossis sinuata 'SPLASH'

Salvia splendens

SALVIA

SAUGE

LA SAUGE EST PRATIQUE dans les plantations de masse, les plates-bandes, les bordures et les contenants. On la cultive aussi pour en faire des fleurs coupées. *S. splendens*, sauge écarlate, possède des épis de fleurs rouges, blanches, pourpres, bleues, saumon, surmontant des feuilles cirées vert foncé. Le plant atteint une hauteur de 15 à 60 cm. Les variétés comprennent des: 'Bonfire', 'Carabiniere', 'Hotline', 'Red Hot Sally', 'Red Pillar' et 'St John's Fire'. *S. farinacea* possède de minces épis de fleurs bleues, violettes ou blanches. Les feuilles sont gris vert et la plante pousse jusqu'à 60 cm. 'Rhea' et 'Victoria' (FS) sont des variétés populaires.

■ **COMMENT LA CULTIVER** Ensemencez à l'intérieur, 8 à 10 semaines avant le dernier gel. Ne couvrez pas les semences de la variété à fleurs rouges: elle a besoin de lumière durant les 10 à 15 jours de sa germination. Commencez *S. farinacea* à l'intérieur, 12 semaines avant le dernier gel. Espacez de 20 à 30 cm. Plantez-les en plein soleil ou à l'ombre partielle, dans un sol riche et bien drainé. La sauge accepte un sol sec, mais elle croît mieux si elle est régulièrement arrosée.

 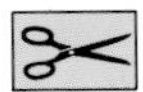  

Salvia farinacea 'VICTORIA WHITE' (FS)

SANVITALIA PROCUMBENS

SANVITALIE RAMPANTE

DE PETITES FEUILLES OVALES vert foncé font un écrin à des fleurs vives, simples ou doubles, semblables à celles des marguerites jaunes ou orangées dont les centres sont pourpres. Le plant atteint une hauteur de 10 à 20 cm et possède un diamètre de 25 à 40 cm. La sanvitalie rampante est une annuelle solide pour garnir les bordures, les plates-bandes, les lisières, les contenants et les paniers suspendus; il fait un excellent revêtement de sol. Les variétés comprennent le 'Gold Braid' et le 'Mandarin Orange' (AAS).

■ **COMMENT LE CULTIVER** Les semences peuvent être plantées dehors après que tout danger de gel soit passé ou commencées à l'intérieur dans des pots individuels, quatre à six semaines plus tôt. Les semences ont besoin de lumière pour germer, ce qui demande 10 à 15 jours. Placez les plants à une distance de 12,5 à 15 cm, en plein soleil, dans un sol léger, ouvert et bien drainé. Ils tolèrent la sécheresse. Les fleurs tombent proprement au fur et à mesure qu'elles se fanent.

Sanvitalia procumbens 'MANDARIN ORANGE' (AAS)

AURICULE

SENECIO CINERARIA AND S. VIRA-VIRA

AURICULE

L'AURICULE EST UN NOM commun donné à un certain nombre de plantes à feuillage argenté et/ou gris, velouté, lobé ou profondément entaillé, sans fleurs significatives. Elles sont cultivées pour leurs feuilles seulement. Ainsi, on les utilise en alternance avec des couleurs vives, pour les bordures, ou en lisière de jardins qui sont visités la nuit, alors que leur feuillage gris semble presque lumineux. Les plants poussent à une hauteur de 20 à 60 cm. *S. Cineraria* est très semblable à *S. Vira-Vira*, cette dernière étant plus relâchée. En plus de ces deux espèces, la *Centaurea cineraria* et le *Chrysanthemum ptarmiciflorum* sont aussi appelés auricule; leur apparence et leur entretien sont semblables. Les variétés communes sont 'Cirrhus', 'Silverdust' et 'Silver Lace'.

■ **COMMENT LA CULTIVER** Commencez les semences à l'intérieur, 8 à 10 semaines avant le dernier gel. La germination demande 10 à 14 jours. Espacez les plants de 30 cm. Aussi, plantez-les en plein soleil ou à l'ombre légère. Le sol devrait être léger, sablonneux, sec et bien drainé. Si les plants commencent à trop grandir, ils peuvent être rabattus.

TAGETES

SOUCI

Les tons jaunes, rouges, dorés, orangés et marrons des soucis sont à leur place dans les plates-bandes, les bordures, les plantations de masse, les lisières et les contenants. Ces plantes peuvent être cultivées pour donner des fleurs coupées. Il y a cinq types de base de soucis. Les plus grands (*Tagetes erecta*), les roses d'Inde, poussent à une hauteur de 30 à 90 cm et ont des fleurs très touffues, doubles, en forme d'œillets. Les variétés comprennent la série 'Climax', 'Crush', 'Discovery', 'Galore' (AAS, RHS), 'Gold Coin', 'Inca', 'Jubilee', 'Lady' (AAS), 'Monarch', 'Perfection', 'Voyager' et 'Toreador' (AAS, RHS). Les œillets d'Inde, plus petits et à la floraison hâtive (*Tagetes patula*), poussent à une hauteur de 15 à 40 cm et arborent une profusion de petites fleurs simples, cristées, ayant la forme de l'anémone ou de l'œillet. Les variétés populaires sont: 'Aurora', 'Bonanza', 'Boy', 'Disco' (FS), 'Espana' (FS), 'Hero', 'Jacket' (FS), 'Janie', 'Marietta' (AAS), 'Golden Gate' (AAS), 'Honeycomb' (FS) et 'Red Cherry'.

Le *Tagetes patula X erecta* est un croisement entre l'œillet d'Inde et la rose d'Inde et est connu comme un triploïde ou une 'mule'. Parce que cette fleur est stérile, elle dure tout l'été même lorsqu'il fait très chaud et que les autres soucis perdent leur habitude de fleurir librement. De bonnes variétés sont: 'Mighty Marietta', 'Nuggets', 'Red Seven Star' et 'Sundance'. Les plants poussent jusqu'à 45 cm.

Le *Tagetes tenuifolia* possède un feuillage fin, dentelé, à la senteur de citron; il pousse jusqu'à 30 cm et ses fleurs simples sont petites. La série 'Gem' est bien connue. Le *Tagetes filifolia*, 'Irish Lace', arbore un feuillage fin, en forme de fougère, et de petites fleurs insignifiantes blanches tirant sur le vert.

■ **COMMENT LE CULTIVER** Commencez les semences à l'intérieur, quatre à six semaines avant le dernier gel. La germination prend de cinq à sept jours. Les semences de l'œillet d'Inde peuvent être plantées dehors après que tout danger de gel soit écarté. Les roses d'Inde sont sensibles à la longueur du jour et ne fleuriront pas avant la fin de l'été à moins d'avoir été plantées en bourgeon ou en fleur. Espacez les soucis d'une distance égale à la moitié de leur hauteur finale. Ils aiment le plein soleil, un sol moyen et résistent assez bien à la chaleur. Pour stimuler une floraison constante, à l'exception des triploïdes qui ne disposent pas de leurs graines, ramassez les fleurs fanées régulièrement.

 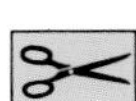  

Tagetes erecta 'DISCOVERY ORANGE'

Tagetes patula 'QUEEN MIX'

Thunbergia alata 'SUSIE'

THUNBERGIA ALATA

VIGNE 'BLACK-EYED SUSAN'

CETTE VIGNE GRIMPE À 2 M. Elle est garnie de feuilles en pointe de flèche, denses et vert foncé. Les fleurs tubulaires en forme de cloche sont blanches, jaunes ou orangées. Les fleurs sont de couleur claire ou munies de yeux noirs. Cette vigne fait un bon revêtement de sol et de treillis, mettez-la dans un panier suspendu ou un contenant. 'Susie' est la variété la plus connue.

■ **COMMENT LA CULTIVER** Ensemencez dehors après que tout danger de gel soit écarté ou commencez en dedans, six à huit semaines plus tôt. La germination demande 15 à 20 jours. Plantez-les en plein soleil ou dans un endroit légèrement ombragé, dans un sol léger, riche, humide et bien drainé. Espacez les plants de 15 cm et donnez-leur un support si vous voulez qu'ils grimpent. Enlevez les fleurs aussitôt qu'elles se fanent afin de bien entretenir les plants et de les rendre productifs. La vigne 'Black-eyed Susan' profite bien d'une longue saison de croissance à température modérée.

  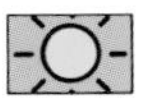

TITHONIA ROTUNDIFOLIA

TOURNESOL MEXICAIN

LE TOURNESOL MEXICAIN, À L'EXCEPTION d'une variété naine, atteint 1,3 à 2 m. Elle est garnie de grandes fleurs rouge orangé ou jaunes, semblables aux marguerites. Les feuilles sont grandes, grises et veloutées. Placez cette plante à l'arrière comme haie ou dans un jardin de fleurs coupées. Les variétés communes sont 'Goldfinger' et 'Torch'.

■ **COMMENT LE CULTIVER** Commencez les semences à l'intérieur, six à huit semaines avant le dernier gel ou à l'extérieur après que le danger de gel soit passé. La germination se fait en 5 à 10 jours. Ne couvrez pas les semences puisque la lumière semble leur être bénéfique. Les plants devraient être espacés de 0,6 à 1 m. Aussi, plantez-les en plein soleil, dans un sol sec et bien drainé. Très résistants à la chaleur et à la sécheresse.

Tithonia rotundifolia

Torenia Fournieri 'CLOWN MIX' (AAS)

TORENIA FOURNIERI

TORENIA

CETTE PLANTE FOURNIE POUSSE à une hauteur de 20 à 30 cm et est couverte de petites fleurs à la lèvre supérieure violet pâle et à la lèvre inférieure violet foncé. Dans la gorge de la fleur se trouve une paire d'étamines qui ressemblent à une paire de lunettes. La torenia sert dans les lisières, les plates-bandes, les bordures ou les contenants. La meilleure variété est 'Clown Mix' (AAS).

■ **COMMENT LA CULTIVER** Commencez les semences à l'intérieur, 10 à 12 semaines avant le dernier gel; la germination nécessite 15 à 20 jours. La torenia préfère l'ombre partielle ou totale, un sol riche, humide et bien drainé. Espacez les plants de 15 à 20 cm.

TROPAEOLUM MAJUS

CRESSON DE FONTAINE (CAPUCINE)

LE CRESSON DE FONTAINE VIENT en trois formes de base: compacte, il pousse jusqu'à 30 cm ('Jewel', 'Whirleybird'); semi-rampante, il atteint 60 cm ('Gleam') et en vigne il pousse jusqu'à 3 m ('Climbing Mixed'). Les plants sont couverts de fleurs simples, semi-doubles ou doubles, en forme d'entonnoir, dans les tons de rouge, de jaune et d'orangé. Les fleurs se courbent habituellement vers le sol et se caractérisent par un éperon noir. Certaines sont odoriférantes. Les feuilles du cresson de fontaine sont rondes et ternes, souvent utilisées dans les salades. Les bourgeons de fleurs ou les graines non mûres se substituent aux câpres. Les fleurs sont comestibles et servent de garniture colorée. Le cresson de fontaine peut servir dans les plates-bandes, dans des contenants et des paniers suspendus, sur les treillis ou pour pendre contre un mur.

■ **COMMENT LE CULTIVER** Commencez les semences à l'extérieur après que tout danger de gel soit passé. Espacez les plants de 20 à 30 cm. Aussi, plantez-les en plein soleil ou à l'ombre légère. Le sol doit être léger, bien drainé, infertile et pauvre. Le cresson de fontaine s'épanouit à une température fraîche et à une forte humidité. Dans les climats chauds, les types compacts poussent mieux que les types en forme de vigne. Là où les vignes sont cultivées, elles doivent être attachées à un support.

Tropaeolum majus (forme de vigne)

Tropaeolum majus

Verbena x hybrida

VERBENA X HYBRIDA

VERVEINE

La verveine produit un étonnant spectacle de couleurs rouge, blanche, violette, pourpre, bleue, crème et rose. Les fleurs poussent en groupe sur les plants droits ou étalés de 20 à 60 cm. La verveine se retrouve dans les lisières, les plates-bandes et les plantes de rocaille. Elle couvre le sol, est dans des paniers suspendus, ou elle est cultivée pour faire une fleur coupée. Les variétés comprennent: 'Ideal Florist', 'Romance', 'Sandy' (AAS, FS), 'Showtime' (FS), 'Sparkle', 'Springtime', 'Trinindad' (AAS) et 'Tropic' (FS, RHS).

■ **COMMENT LA CULTIVER** Commencez les semences à l'intérieur, 10 à 12 semaines avant le dernier gel. Couvrez le plateau de semences d'un plastique noir jusqu'à ce que la germination commence: 20 à 25 jours plus tard. Celle-ci est habituellement faible, aussi ensemencez doublement. La réfrigération des semences, pendant sept jours avant l'ensemencement, pourra être bénéfique. La verveine est particulièrement sensible à la fonte des semis et à la moisissure poudreuse lorsqu'elle est cultivée dans un sol lourd et dans une atmosphère humide (voir Maladies, plus haut). Plantez les types qui s'étalent dans un espacement de 30 à 38 cm et les types droits à 20 ou 25 cm de distance. Choisissez un endroit en plein soleil, avec un sol léger, fertile et bien drainé. La verveine résiste à la chaleur, à la sécheresse et au sol pauvre, mais elle prend du temps à bien s'établir.

Verbena x hybrida 'NOVALIS DEEP BLUE'

VIOLA X WITTROCKIANA

PENSÉE

LA PENSÉE EST GARNIE DE DÉLICATES fleurs simples, plates, munies de cinq pétales ronds. Les pensées sont rouges, blanches, bleues, roses, bronze, jaunes, pourpres, lavande ou orangées. Certaines arborent une seule couleur; chez d'autres, les trois pétales du bas ont une couleur différente des deux pétales du haut. Souvent une couleur contrastante forme une tache ou une marque en forme de figure sur les trois pétales du bas. Les plants atteignent 15 à 38 cm de hauteur. Les pensées servent en plantation de masse, dans les lisières, les rocailles, les contenants et pour ajouter une touche de couleur.

Les pensées sont classifiées selon les types multiflora et grandiflora. Les multiflora ont un plus grand nombre de petites fleurs, qui fleurissent hâtivement. Les variétés de multiflora comprennent: 'Crystal Bowl', 'Jolly Joker' (AAS), 'Spring Magic', 'Springtime' et 'Universal'; les types grandiflora comprennent: 'Imperial', 'Majestic Giant' (AAS), 'Mammoth Giant', 'Roc' et 'Swiss Giant'.

■ **COMMENT LA CULTIVER** Les plants peuvent être mis dans le jardin du début jusqu'au milieu du printemps, aussitôt que la terre peut être travaillée. Commencez les semences à l'intérieur 14 semaines plus tôt. Couvrez-les complètement, car elles ont besoin d'obscurité pour germer, ce qui prend 10 à 20 jours. Les semences peuvent être réfrigérées dans un réceptacle humide pendant quelques jours avant l'ensemencement.

Là où la température d'hiver ne descend pas sous -7°C, les pensées peuvent être plantées à l'automne et recouvertes de paillis, afin de fleurir tôt au printemps suivant. Les pensées peuvent aussi hiverner dans des boîtiers froids et être transplantées au début du printemps.

Plantez-les à une distance de 15 à 20 cm dans un sol humide, riche et fertile. Choisissez un endroit qui offre du soleil et une ombre partielle. Les pensées poussent mieux si les nuits sont fraîches. Enlevez les fleurs fanées et pincez les plantes si leurs tiges deviennent trop grandes.

Viola x Wittrockiana 'SPRING MAGIC'

Zinnia elegans 'WHIRLIGIG'

Zinnia Haageana 'OLD MEXICO' (AAS)

Zinnia angustifolia

Zinnia elegans 'ZENITH MIXED' (AAS)

ZINNIA ELEGANS

ZINNIA

LE ZINNIA VA DE LA PLANTE NAINE de 15 cm jusqu'à la variété atteignant presque 1,3 m. Les fleurs vont des minuscules boutons jusqu'aux énormes fleurs en forme de cactus, et ce, dans toutes les couleurs de l'arc-en-ciel, à l'exception du vrai bleu. Le zinnia se place dans les lisières, les bordures, les plates-bandes, les haies, en arrière-plan et dans les contenants ou sert comme fleur coupée. Les variétés qui restent près du sol sont: 'Dasher' (FS), 'Fantastic' (AAS), 'Peter Pan' (ABT), 'Small World', 'Rose Pinwheel' et, Thumbelina' (AAS). Les variétés de grandeur moyenne sont 'Border Beauty' (AAS), 'Lilliput', 'Pulcino' et 'Splendor' (AAS). Les variétés hautes comprennent 'Cut and Come Again', 'Ruffles' (AAS, FS), 'State Fair', 'Sunshine' (AAS) et 'Zenith' (AAS). Des espèces sont étroitement reliées comme le *Z. angustifolia* (anciennement appelée *Z. linearis*), dont les fleurs simples de couleur orange dorée avec des rayures jaunes poussent sur des plants de 20 à 30 cm. Le zinnia mexicain, *Z. Haageana*, atteint 30 à 45 cm, ses fleurs sont simples ou doubles dans des tons de rouge, ébène, jaune et orangé. Certaines fleurs sont d'une seule couleur, d'autres ont deux tons. 'Old Mexico' (AAS) et 'Persian Carpet' (AAS) sont des variétés populaires.

■ **COMMENT LE CULTIVER** L'ensemencement peut se faire dehors après que tout danger de gel soit passé ou commencé en dedans, quatre semaines plus tôt. La germination demande cinq à sept jours. Les zinnias devraient être plantés à une distance égale à la moitié de leur hauteur définitive. Ne les amoncelez pas, car ils ont besoin d'une bonne circulation d'air pour prévenir la moisissure, qui peut représenter un problème majeur (voir Maladies, plus haut). Les zinnias aiment le plein soleil et un sol riche, fertile, bien drainé. Ils tolèrent la chaleur et la sécheresse.

Tableau des données descriptives et de la culture des annuelles

Couleurs: B=bleu; Ba=blanc; Br=brun; Bz=bronze; C=crème; D=doré; J=jaune; L=lavande; O=orangé; P=pourpre; R=rose; Rg=rouge; S=saumon; V=violet.

Lumière: Oc=ombre complète; Ol=ombre légère; S=Soleil.

Sol: H=humide mais bien drainé – toujours également humide, mais jamais détrempé; M=moyen - moyennement riche et bien drainé; R=riche, fertile et bien drainé; S=sec - sèche rapidement, même après une forte pluie.

Variétés	Couleurs	Hauteur	Lumière	Sol	Distance
Agérate	B/R/Ba	15-30 cm	S/Ol	R/H	15-20 cm
Alternanthéra	Feuillage	15 cm	S	M	20-25 cm
Alysse	L/P/Rg/Ba	7,5-10 cm	S/Ol	M	25-30 cm
Amarante	Feuillage et Rg	0,6-1,6 m	S	M/S	45-60 cm
Amarante globulaire	L/O/R/P/Ba/J	75 cm	S	S	25-38 cm
Argémone du Mexique	J	0,6 m	S	S	23-30 cm
Aster de Chine	B/L/RP/Rg/Ba/J	15-90 cm	S	R/H	15-38 cm
Auricule	Feuillage argent/gris	20-60 cm	S/Ol	S	30 cm
Balsamine	L/R/P/Rg/S/Ba/J	25-90 cm	S/Ol	R/H	15-38 cm
Balsamine wallerana	O/R/Rg/S/V/Ba	45 cm	S/Oc	R	25-45 cm
Balsamine de Nouvelle-Guinée	L/O/R/P/Rg/S	30-60 cm	Ol/S	R/H	30 cm
Bégonia semperflorens	R/Rg/Ba	15-30 cm	Ol	R	15-20 cm
Bégonia tuberhybrida	O/R/Rg/Ba/J	30 cm	Ol/Oc	R/H	30 cm
Browallia	B/P/Ba	20-45 cm	Ol	R/H	15-25 cm
Calendula	O/J	20-90 cm	S/Ol	R/H	30-38 cm
Célosie	C/D/O/R/Rg/S/J	15-75 cm	S	R	15-45 cm
Centaurée	B/L/R/Rg/Ba	30-90 cm	S	R/S	15-60 cm
Chou décoratif	Feuillage/R/P/Ba	25-30 cm	S	R/H	30-38 cm
Cléome	L/R/Ba	1-2 m	S	M/S	0,6-1 m
Coléus hybridus	Feuillage	15-90 cm	Ol/Oc	R/H	25-30 cm
Cosmos	D/L/O/R/Ba/J	1-3 m	S	S	23-60 cm
Cresson de fontaine/	O/Rg/J	30-60 cm	S/Ol	S	20-30 cm

Variétés	Couleurs	Hauteur	Lumière	Sol	Distance
Capucine		ou 3 m			
Cyprès d'été	Feuilles/Rg	1 m	S	S	45-60 cm
Dahlia	Toutes, exc. Ba	0,3-1 m	S/Ol	R/H	20-60 cm
Gaillarde	Bz/Rg/J	25-60 cm	S	S	25-60 cm
Gazania	C/D/O/R/Rg/J	20-25 cm	S	S	20-25 cm
Géranium	L/R/Rg/S/Ba	20-60 cm	S/Ol	R/H	20-30 cm
Gerbera	L/O/R/Rg/S/Ba/J	30 cm	S	H/R	30-38 cm
Giroflée des jardins	B/C/R/P/Rg/Ba	30-45 cm	S	R/H	30-38 cm
Helichrysum	R/P/Rg/S/Ba/J	30-75 cm	S	S	23-38 cm
Hibiscus	R/Rg/Ba	45 cm-2 m	S/Ol	R/H	45 cm-1,3 m
Ibéride	L/R/Rg/Ba	20-50 cm	S	M	15-25 cm
Immortelle	Ba	90 cm	S	R/H	38 cm
Lavatère	R/Rg/Ba	0,6-1 m	S	S	38-60 cm
Lobélie	B/R/P/Ba	10 cm	S/Ol	R/H	20-25 cm
Marguerite africaine	Br/Bz/R/P/O/ Rg/Ba/J	25-30 cm	S	S	30 cm
Marguerite 'Swan River'	B/Rg/R/V/Ba	23-46 cm	S	R/H	15 cm
Mimulus	D/Rg/J	15-25 cm	Ol/Oc	R/H	15 cm
Muflier	Toutes exc. vrai B	15-90 cm	S/Ol	R	15-38 cm
Myosotis d'été	B	23-46 cm	S	S	25-30 cm
Némésie	B/Bz/C/D/L/O/ J/R/Rg/Ba	20-45 cm	S/Ol	R/H	15 cm
Nemophila	B	15 cm	Ol/S	S	20-30 cm
Nicotine	R/P/Rg/Ba/J	25-45 cm	S/Ol	R	25-30 cm
Nierembergie	B/V	15-30 cm	S/Ol	R	25-30 cm
Nigelle	B/R/P/Ba	30-60 cm	S	H	20-25 cm
Nyctage	R/Rg/V/Ba/J	45-90 cm	S	S	30-45 cm

VARIÉTÉS	COULEURS	HAUTEUR	LUMIÈRE	SOL	DISTANCE
Œillet	R/Rg/Ba	15-60 cm	S	R	15-30 cm
Passerose	Plusieurs, exc. B	0,6-1,8 m	S/Ol	R/H	46-60 cm
Pavot	O/R/P/Rg/Ba/J	0,3 m ou 1 m	S	R/S	23-30 cm
Pérille	L/R/Ba	45-90 cm	S/Ol	M/S	30-38 cm
Pervenche de Madagascar	R/Ba	7,5-25 cm	S/Ol	M	15-60 cm
Pétunia hybrida	Toutes		S/Ol	S	20-30 cm
Phlox	B/L/R/Rg/S/Ba	15-45 cm	S	R/H	15 cm
Pois de senteur	B/R/P/Rg/Ba	2 m ou 0,75 m	S	R/H	15-20 ou 38 cm
Poivrier ornemental	Ba + Fruits C/O/ P/Rg/Ba	10-30 cm	S/Ol	R/H	15-23 cm
Pourpier	C/D/O/R/Rg/S/J/Ba	10-15 cm	S	S	30-38 cm
Primevère	Plusieurs	30 cm	Ol	R/H	20-25 cm
Rudbeckie	Br/Bz/D/O/J	20-90 cm	S/Ol	M	30-60 cm
Salpiglossis	B/P/Rg/R/J	60-90 cm	S	R/H	20-30 cm
Sanvitalie rampante	O/J	10-20 cm	S	S	12,5-15 cm
Sauge	B/P/Rg/S/Ba	15-60 cm	S/Ol	R	20-30 cm
Souci	D/O/Rg/J	15-90 cm	S	M	7,5-45 cm
Torenia	P/V	20-30 cm	Ol/Oc	R/H	15-20 cm
Tournesol	Bz/D/P/Rg	38 cm;1,3-2m	S	S	0,6-1,3 m
Tournesol mexicain	O/Rg/J	1,3-2 m	S	S	0,6-1 m
Verveine	B/C/R/P/Rg/Ba/V	20-60 cm	S	S	20-38 cm
Vigne Susan	O/Ba/J	2 m	S/Ol	R/H	15 cm
Violette	B/Bz/L/O/R/P/J/ Rg/Ba	15-38 cm	S/Ol	H/R	15-20 cm
Volubilis des jardins	B/R/P/Rg/Ba	3-9 m	S	S	45-60 cm
Zinnia	Toutes, excepté vrai bleu	15 cm-1,3 m	S	R	7,5-60 cm

TABLEAU DES DONNÉES DESCRIPTIVES ET DE LA CULTURE DES VIVACES

Couleurs: B=bleu; Ba=blanc; J=jaune; L=lavande; O=orangé; P=pourpre; R=rose; Rg=rouge.
Floraison: A=automne; DA= début de l'automne; E=été; DE=début de l'été; FE=fin de l'été; P=printemps; DP=début du printemps; FP=fin du printemps.
Lumière: Oc=ombre complète; Ol=ombre légère; S=Soleil.
Sol: H=humide mais bien drainé – toujours également humide, mais jamais détrempé; M=moyen - moyennement riche et bien drainé; S=sec - sèche rapidement, même après une forte pluie.

VARIÉTÉS	COULEURS	HAUTEUR	FLORAISON	LUMIÈRE	SOL	DISTANCE
Achillée	R/Rg/B/J	45 cm-1,2 m	E	S	M/S	25-45 cm
Aconit	B/L/P	90 cm-1,2 m	E/DA	S/Ol	H	45 cm
Alchémille	J	30-45 cm	P/DE	S/Ol	H	30 cm
Amsonie	B	60-90 cm	P/DE	S/Ol	M/S	45 cm
Anaphalis	Ba	60 cm	E	S/Ol	H	30 cm
Anémone	R/P/Rg/Ba	30 cm-1,2 m	P ou A	S/Ol	M/H	20-45 cm
Anthémis	J	25-60 cm	E	S	M/S	30-38 cm
Arabette	B/R	20 cm	P	S	M/S	20-30 cm
Armoise	Feuillage/Ba	30 cm-1,8 m	E	S	M/S	30-60 cm
Asaret	Feuillage	15 cm	-	Ol/Oc	H	20-30 cm
Asclépiade	O	60-90 cm	E	S	M/S	30 cm
Aster	B/R/P/Rg/Ba	15 cm-1,8 m	E/A	S	H	30-45 cm
Astilbe	R/Rg/B	30 cm-1,2 m	E	Ol	H	30-45 cm
Aubriète	P/L/R/Rg	15 cm	P	S/Ol	S	15-20 cm
Baptisia	B	90 cm-1,2 m	DE	S/Ol	M	60 cm
Belamcanda	O	30-75 cm	E	S/Ol	M	30 cm
Benoîte	Rg/J/O	30-60 cm	E	S	H	30-45 cm
Bétoine	Feuilles/L/R/P	20-60 cm	E	S/Ol	M/S	30 cm
Bergénie	R/Rg/Ba	30 cm	P	S/Ol	M/H	30 cm
Buglosse	B	30-45 cm	P	S/Ol	H	30 cm
Buglosse	B	45 cm-1,2 m	P/DE	S/Ol	M	45-60 cm
Campanule	B	60-90 cm	E	S/Ol	H	30 cm
Campanule	B/Ba/R/P	15 cm-1,5 m	E/A	S/Ol	M/H	25-60 cm
Cataire	B/Ba	30-45 cm	P/DE	S	M/S	30-45 cm
Centaurée	B/P/J/Ba/R	60 cm-1,2 m	P/E	S	M	45 cm
Céraiste	Ba	15 cm	DE	S	M/S	30 cm
Chrysanthème	L/O/R/P/Rg/Ba/J	30 cm-1,2 m	FE/A	S	M	30-45 cm
Chrysogonum	J	10-15 cm	P/DE	Ol/Oc	H	30 cm
Cimicaire	Ba	60 cm-2,4 m	E	S/Oc	H	60 cm
Clématite	B/L/Ba	60 cm-1,5m	E	S/Ol	H	45 cm

VARIÉTÉS	COULEURS	HAUTEUR	FLORAISON	LUMIÈRE	SOL	DISTANCE
Colombine	B/R/Rg/Ba/J/P	30-90 cm	P/DE	S/Ol	M	30 cm
Corbeille d'ar.	J	30 cm	P	S	M/S	20-30 cm
Coréopsis	J	15-75 cm	E/A	S	M	30 cm
Delphinium	B/L/R/P/Ba	30 cm-1,8 m	E	S/Ol	H	30-75 cm
Dicentre	Rg/R/Ba	25-90 cm	P/E	Ol/Oc	H	30-60 cm
Digitale	R/Rg/Ba/J	30 cm-1,2 m	DE	S/Ol	H	30-40 cm
Doronic	J	30-75 cm	P/DE	S/Ol	H	30 cm
Échinacée	P/Ba	60 cm-1,2 m	E/A	S/Ol	M/S	45 cm
Échinope	B	90 cm-1,5 m	E	S	M/S	45-60 cm
Ephémère de Virginie	B/R/P/Rg/Ba	60-75 cm	E	S/Ol	M/H	45 cm
Érynge	B/Ba/L	30 cm-1,2 m	E	S	S	30-60 cm
Eupatoire	B/R	60 cm-3 m	E/A	S	M/H	45-90 cm
Euphorbe	J/Rg/Ba	15-90 cm	P/E	S	S	30-45 cm
Faux aloès	O/Rg/J	30 cm-1,2 m	E	S	H	45 cm
Faux sceau-de-Salomon	Ba	45-90 cm	P	Ol/Oc	H	30-45 cm
Filipendule	R/Ba	45 cm-2,1 m	P/E	S	M/H	30-60 cm
Fougères	Feuillage	15 cm-1,8 m		Ol/Oc	M/H	30-75 cm
Fraxinelle	Ba/P	60-90 cm	DE	S/Ol	H	90 cm
Gaillarde	O/Rg/J	30-75 cm	E/A	S	M/S	15-45 cm
Gaillet	Feuillage/Ba	15-20 cm	P	Ol	H	30 cm
Géranium	L/R/P/Ba	15-30 cm	P/E	S	M	30 cm
Gypsophile	Ba/R	10-90 cm	E	S	M	30-60 cm
Hélénium	Rg/J/O	60 cm-1,8 m	E/A	S	H	45-60 cm
Héliopsis	J	60 cm-1,8 m	E/A	S	M/H	60 cm
Hellébore	Ba/R/P	30-60 cm	DP	S/Ol	H	45 cm
Hémérocalle	J/O/R/Rg/P	30 cm-1,8 m	E/A	S/Ol	M/H	30-60 cm
Herbes ornem.	TanBa/Feuille	20 cm-1,8 m	E/A	S/Ol	M/H	30-90 cm
Heuchère	Rg/R/Ba	30-60 cm	E/A	S/Ol	H	30 cm
Hibiscus	Rg/R/Ba	60 cm-2,4 m	E/A	S	H	90 cm
Hosta	P/L/Ba/Feuille	15-90 cm	E/A	Ol/Oc	H	30-60 cm
Ibéride	Ba	15-25 cm	P	S	H	38 cm
Iris	Toutes les coul.	15 cm-1,2 m	P/E	S/Ol	M/H	30-45 cm
Jacinthe de V.	B/R/Ba	30-60 cm	P	Ol	H	20-30 cm
Julienne	R/P/Ba	60-90 cm	P/DE	S/Ol	H	45 cm
Lavande	L/P/R/Ba	30-90 cm	E	S	M/S	30 cm

Variétés	Couleurs	Hauteur	Floraison	Lumière	Sol	Distance
Liatride	R/P/Ba	45 cm-1,5 m	E/A	S	M/H	30-45 cm
Lin	B/Ba/J	30-60 cm	E	S	M/H	45 cm
Lobélie	Rg/B/P	60 cm-1,2 m	E/A	Ol	H	30-45 cm
Lupin	B/R/P/Rg/Ba/J	60-90 cm	DE	S/Ol	H	45-60 cm
Lychnide	O/P/Ba/Rg	30-90 cm	E	S	M	30 cm
Lysimaque	Ba/J	45-90 cm	E	S/Ol	H	45-60 cm
Macléaya	Ba	1,80-3 m	E	S	M	90 cm-1,20 m
Marrube	Ba	60-90 cm	E	S	M/S	30 cm
Monarde	R/P/Rg/Ba	60 cm-1,2 m	E	S/Ol	M/H	45 cm
Œillet	R/Rg/Ba	15-45 cm	P/E	S	M/S	20-30 cm
Œnothère	J/R	30-60 cm	E	S	M	45 cm
Orpin	R/Rg/Ba/J	10-60 cm	E/A	S	M/S	30-60 cm
Pâquerette	R/Rg/Ba	7,5-15 cm	P/DE	S/Ol	H	15 cm
Pavot	O/Rg/R/Ba	60 cm-1,2 m	DE	S	M	45 cm
Phlox	R/P/Rg/Ba/B	15 cm-1,2 m	P/A	S/Ol	H	30-60 cm
Physostégie	R/L/Ba	60 cm-1,2 m	E/A	S	M/H	45-60 cm
Pigamon	L/R/J	90 cm-1,5 m	P/E	S/Ol	H	45-60 cm
Pivoine	R/Rg/Ba	60-90 cm	FP/DE	S	H	60-90 cm
Platycodon	B/R/Ba	45-75 cm	E	S/Ol	M/S	30-45 cm
Polygonate	Ba	30 cm-1,8 m	P	Ol/Oc	H	45-60 cm
Primevère	B/L/P/Rg/Ba/J	15-60 cm	P/DE	OL	H	30 cm
Pulmonaire	B/R/Ba	15-45 cm	P	Ol	H	30 cm
Rudbeckie	J	60 cm-1,8 m	E/A	S	M/H	45 cm
Salicaire com.	R/P	75 cm-1,2 m	E/A	S	H	45 cm
Sauge	B/P/R	45-90 cm	E	S	M	30-45 cm
Scabieuse	B/L/Ba	30-60 cm	E/A	S	M/S	30 cm
Stokésie	B/Ba	30-60 cm	E/A	S	M	30-45 cm
Thermopsis	J	90 cm-1,5 m	DE	S	M/S	60-90 cm
Ulmaire	Ba	30 cm-1,5 m	E	Ol	H	60-75 cm
Valériane	Rg/R/Ba	90 cm	E	S/Ol	M	30-45 cm
Verge d'or	J	45 cm-1,05 m	E/A	S	M/S	45 cm
Vergerette	B/R/Ba/L	45-75 cm	E	S/Ol	S	30 cm
Véronique	B/R/P/Rg/Ba	15-60 cm	E	S	M	30-45 cm
Violette jardin	B/P/O/Rg/Ba/J	15-30 cm	P/A	S/Oc	M/H	30 cm

Les Vivaces

PRÉFACE DE LA SECTION DES VIVACES

Des nuages ondoyants de gypsophiles, des delphiniums robustes pointant vers le ciel, de translucides pétales de pavots luisant au soleil. Ce sont quelques images qu'évoquent les vivaces que l'on trouve dans un jardin. Les vivaces ont apporté à des générations de jardiniers une richesse de couleurs, de formes, de textures et de dimensions à des plantes et des fleurs fleurissant d'une saison à l'autre. On parle aussi bien des hellébores émergeant de la neige en hiver que des chrysanthèmes qui résistent aux jours glaciaux de l'automne. Il devient difficile de choisir parmi les milliers de variétés de vivaces disponibles.

Mais qu'est-ce qu'une vivace au juste? Avant tout c'est une plante qui vit plus de deux ans. Comme cette définition inclut aussi les arbres et les arbustes, une description plus précise ajouterait qu'elle se rapporte à une plante herbacée, dont les tiges douces et charnues fanent en automne. Il y a quelques exceptions à ceci: ce sont la plupart des herbes ornementales, des sous-arbrisseaux à demi-ligneux et des plantes au feuillage persistant. Alors que le feuillage de la majorité des vivaces meurt chaque année, les racines sont capables de survivre à un froid hivernal variable et de susciter de nouvelles pousses au printemps. Une vivace peut pousser ainsi pendant quelques années et même des décennies, si des facteurs favorables existent.

À part les véritables vivaces, certaines bisannuelles sont citées dans ce livre. Les bisannuelles complètent leur cycle de vie en deux ans: la première année, la croissance à partir de graines produit seulement des feuilles et la deuxième année, elles poussent, fleurissent, font des semences et meurent.

L'UTILISATION DES VIVACES DANS LE JARDIN

La façon traditionnelle d'utiliser les vivaces consiste à les placer dans les bordures, à les planter en bandes serpentant comme des rubans ou à les regrouper de façon naturelle. À l'exception des jardins géométriques, très formels, cette dernière méthode est préférée. On plante souvent deux bordures parallèles, séparées par une pelouse, une allée ou les deux. Une clôture, une haie ou un mur sont souvent inclus en arrière-plan. Une autre façon d'intégrer les vivaces dans l'environnement paysager est de les incorporer dans les plates-bandes de formes géométriques ou dessinées plus librement.

Les multiples vivaces du monde entier sont utiles de bien d'autres façons dans le paysage. Un groupe d'arbres sous lequel on plante une variété de fougères et d'autres vivaces aimant l'ombre devient un jardin boisé. Les vivaces originaires des zones alpines ou de régions au sol sec et graveleux sont les meilleures pour adoucir les lignes rigides d'un mur de pierres ou pour changer un amoncellement rocheux en une rocaille. Un lieu mouillé, marécageux, le long d'un

À GAUCHE:
Des plates-bandes libres sont faites pour être vues sous tous leurs angles et peuvent être entourées de pelouse ou de pavés. Elles servent de division ou incitent le visiteur à arpenter un coin du jardin ou l'autre.

PAGE OPPOSÉE EN HAUT:
Un jardin semblable à une prairie agrémenté d'herbes ornementales, d'hémérocalles, d'achillées, de benoîtes, de véroniques et de vignes 'Black-eyed Susan' qui demandent un minimum d'entretien.

PAGE OPPOSÉE EN BAS:
Il faut prendre le temps d'étudier, de planifier et de choisir avec soin une combinaison réussie de plantes comme cette bordure de chrysanthèmes, d'anémones japonaises, d'armoises, de liriopes, de dracocéphales, de verges d'or, d'asters et autres plantes.

ruisseau ou d'un étang devient un jardin aquatique lorsqu'on y plante des vivaces qui s'épanouissent dans un milieu très humide. Une grande étendue de pelouse se transforme en une magnifique prairie lorsqu'elle est remplie de fleurs colorées et d'herbes ornementales qui progressent bien dans cet environnement.

Les vivaces renforcent le paysage lorsque, plantées dans des contenants, elles transforment une galerie ou un patio en un espace intime rempli de fleurs.

Les conditions de croissance

Lorsque vous commencez à choisir des vivaces, vous devez d'abord prendre en considération les conditions de croissance. Ces facteurs sont la température hivernale la plus basse, le sol, la lumière et l'eau.

La robustesse définit la capacité de la plante à survivre à une température hivernale minimale. L'eau et la condition du sol ainsi que d'autres facteurs entrent aussi en ligne de compte. Tous ces éléments se combinent pour faire en sorte que même dans un espace restreint, des différences microclimatiques permettront à une plante de survivre dans un coin mais non dans un autre. Par exemple, la température sera plus basse au pied d'un côteau, du côté nord d'une maison ou dans un endroit exposé au vent. Un bon

drainage constitue un élément clé pour éviter que l'eau ne s'amoncelle autour des racines et ne gèle, ce qui serait fatal. Avec l'expérience, vous apprendrez quels sont les meilleurs endroits pour certaines plantes. Vous pourrez même trouver l'endroit particulièrement doux pour y faire pousser une plante qui normalement ne serait pas résistante dans ce milieu.

Bien que certaines vivaces nécessitent le plein soleil, il y en a beaucoup qui supporte aussi bien le plein soleil qu'une ombre légère et d'autres qui croissent mieux dans la lumière ou même dans l'ombre totale. Pour survivre dans des régions particulièrement chaudes et humides, certaines plantes ont besoin d'une ombre légère ou partielle. On leur procure cet environnement en les plantant du côté est ou ouest d'une bâtisse, d'une haie, d'une clôture afin que le soleil y pénètre au moins pendant quatre à six heures chaque jour. L'ombre tachetée sous un arbre épanoui est semblable; on peut y arriver en éclaircissant les branches supérieures ou en coupant les branches inférieures. Si l'on doit choisir un endroit partiellement ombragé, il faut un lieu qui reçoit le soleil du matin et l'ombre de l'après-midi. C'est habituellement le meilleur.

On considère comme ombre complète celle qui est très tachetée sous les arbres, l'ombre dense sur le côté nord d'un édifice, d'une haie, d'une clôture ou tout endroit qui reçoit quatre heures ou moins de soleil chaque jour. Très peu de vivaces fleurissent bien dans ces conditions, mais certaines, dont le feuillage est superbe, sont faites pour ces endroits.

Pour la plupart des vivaces, le sol idéal, appelé terreau, est constitué d'un mélange de sable, de vase et de particules d'argile, bien drainé, possédant une bonne ration de matière organique ou humus. La matière organique équilibre le sol sablonneux, qui se draine trop rapidement ou le sol argileux, qui retient trop l'eau; elle peut retenir l'eau et les nutriments tout en permettant des espaces aérés autour des racines des plantes; elle stimule les micro-organismes du sol qui dégagent des nutriments. Les sources les plus courantes de matière organique sont la mousse de sphaigne, le compost et les feuilles décomposées.

Pour déterminer rapidement le type de sol, prenez une poignée de terre trois à cinq jours après une pluie et serrez-la. Si elle forme une boule qui ne se brise pas, elle possède probablement beaucoup d'argile; un sol graveleux qui se répand est surtout composé de sable, alors qu'une boule qui se défait légèrement est du terreau, de la terre grasse. Pour évaluer le drainage, creusez un trou de 30 cm et remplissez-le d'eau. Si l'eau n'est pas absorbée en une heure, le drainage est insuffisant. Si le sol argileux est en cause, l'ajout de matière organique suffit, mais si c'est dû à d'autres facteurs comme une croûte ou une couche impénétrable, sous la terre de surface, il faudrait songer à cultiver les plantes dans des plates-bandes surélevées, dans des contenants ou à installer des tuiles de drainage.

EN HAUT, À GAUCHE:
Avec l'expérience, vous découvrirez que divers endroits de votre jardin ont des variations climatiques. Une plate-bande le long d'un mur de pierres qui fait face au sud ou à l'est sera plus chaud en été et en hiver que d'autres endroits du jardin parce qu'ils retiennent et reflètent la chaleur. Un tel endroit est bon pour les plantes partiellement rustiques supportant la chaleur.

À GAUCHE:
Un jardin où l'ombre domine pourra être agrémenté de fleurs et de plantes vivaces, qui transformeront un endroit fade en un lieu rempli de textures et de formes. Un jardin comme celui-ci, garni de hostas, illustre les différentes nuances de vert qu'offrent des plantes feuillues.

La majorité des plantes pousseront mieux s'il y a une moyenne de 2,5 cm de pluie ou une irrigation chaque semaine durant la saison de croissance. Lorsque vous choisissez les plantes qui orneront votre jardin, faites-le en fonction du taux normal de précipitations ou de votre volonté d'y suppléer. L'emploi de paillis contribue à conserver l'humidité du sol.

Pour la plupart des gens, le choix de plantes requérant un minimum d'entretien est de première importance. Certaines plantes doivent être munies de tuteurs, d'autres nécessitent une division fréquente, doivent être pincées, leurs fleurs fanées enlevées, vaporisées contre les parasites ou entretenues de diverses façons.

CONCEVOIR DES PLANS

Lorsque vous avez compilé les conditions de croissance et choisi les vivaces disponibles, vous êtes prêt à concevoir un plan. Les bordures sont belles si elles ont au moins 120 cm de large et les plates-bandes au moins 180 cm de large. Aménagez un espace de 60 cm entre une haie et la bordure devant elle. Une bordure est normalement vue d'un, de deux ou de trois côtés, alors placez les plus grandes plantes à l'arrière et plantez progressivement les plus courtes vers l'avant. Dans les plates-bandes non adossées, placez les plantes les plus grandes au milieu et plantez celles en grandeurs décroissantes vers l'extérieur. Alternez de temps à autre ce mouvement pour briser la monotonie, car un groupe de grandes plantes à l'avant d'une plate-bande ou

EN HAUT:
L'ombre en après-midi procure des conditions idéales pour les plantes ne supportant pas la chaleur ou celles qui ont besoin d'ombre légère, comme ce regroupement de hostas, d'astilbes, de Sceaux-de-Salomon et de fougères.

AU-DESSUS:
Une façon rapide de déterminer le genre de sol est d'en prendre une poignée, de la serrer, puis d'y passer le doigt. Si elle se défait facilement, vous avez du terreau.

À GAUCHE:
En dessinant une bordure de vivaces, placez les plus grandes fleurs en arrière, en plantant les plus courtes vers l'avant. Ce sera plus dynamique si vous insérez des plantes plus grandes près du devant.

d'une bordure produit un effet frappant, dynamique. Une plate-bande ou une bordure sont plus intéressantes lorsqu'on y met au centre des plantes basses qui poussent au printemps.

La saison de floraison et les habitudes de croissance doivent aussi être prises en considération. Certaines personnes peuvent se satisfaire d'un jardin de vivaces en fleurs à une époque particulière de l'année, alors que d'autres voudront une bordure fleurie le plus longtemps possible. En étudiant les descriptions des plantes et le tableau à la fin du volume et en observant la floraison de ces plantes dans votre région, vous pourrez coordonner et combiner les plantes dans votre jardin. On recommande généralement de garnir un jardin confiné par de petites plantes et d'aménager de grandes plantes dans un plus grand jardin; ce guide peut être modifié lorsqu'une plante imposante et très architecturée est utilisée dans un petit jardin pour créer un effet frappant.

Lorsque vous préparez des plates-bandes et des bordures fleuries, ne vous limitez pas seulement aux vivaces. En combinant les bulbes, les annuelles, les herbes et les arbustes dans un cadre bien garni de vivaces, vous multiplierez les possibilités de couleurs, de formes, de textures et gagnerez une plus longue saison de floraison et davantage d'intérêt durant la saison d'hiver.

PAGE OPPOSÉE:
Un des buts recherchés en dessinant un jardin de vivaces est d'obtenir le plus de mois possible de beauté. Cette cour avant garnie de masses de sedums 'Autumn Joy', d'herbes ornementales, de vignes 'Black-eyed Susan' et de sauge russe procure un paysage attirant du milieu de l'été jusqu'à l'hiver bien entamé.

À DROITE:
Bien que les vivaces soient suffisamment belles pour être utilisées seules, elles se combinent bien avec d'autres plantes, y compris les roses, les arbrisseaux, les annuelles, les bulbes et les herbes.

CI-DESSOUS:
Les combinaisons de couleurs monochromatiques, qui utilisent des nuances et des teintes d'une seule couleur, ou des combinaisons analogues faites de couleurs voisines sont douces et calmantes. Un exemple de combinaison monochromatique est la vigne 'Black-eyed Susan' et le faux-iris tigré.

Esthétiquement, un beau jardin de vivaces est dessiné à partir de principes artistiques de base concernant les couleurs, les textures et la forme des fleurs et du feuillage.

Il est utile d'étudier la roue des couleurs afin de bien les combiner. Avant tout, rappelez-vous que les rouges, les orangés et les jaunes sont des couleurs chaudes et que les verts, les bleus et les violets sont des couleurs froides; les premières suscitent un sentiment d'excitation et de passion, alors que les dernières procurent calme et tranquillité. Les couleurs froides semblent être plus lointaines lorsqu'on les regarde, alors que les couleurs chaudes paraissent plus proches. Cet effet peut créer des illusions. Des couleurs froides installées à l'arrière du jardin le feront paraître plus grand, alors qu'une bordure de fleurs aux couleurs chaudes le fait paraître plus petit. Malheureusement, comme les couleurs froides donnent une impression d'éloignement, elles perdent leur impact lorsqu'elles sont loin et on les voit mieux en gros plan. Lorsqu'on combine les couleurs chaudes et froides, les couleurs chaudes doivent être utilisées plus légèrement, car elles peuvent facilement écraser les fleurs de couleurs froides.

En harmonisant la palette des couleurs, il faut savoir qu'une couleur pure est appelée coloris, une teinte est plus légère et une nuance est plus sombre. Il y a quatre combinaisons de base de couleurs. Les combinaisons monochromatiques se font avec des fleurs de teintes différentes et de nuances d'une seule couleur. Dans un jardin le vert est toujours présent, ce qui rend impossible un jardin vraiment monochromatique. Des combinaisons analogues utilisent habituellement les teintes et les nuances de trois couleurs voisines dans la roue des couleurs, comme le jaune, le jaune orangé et l'orangé. Les combinaisons complémentaires combinent des couleurs qui sont à l'opposé dans la roue des couleurs, comme l'orangé et le bleu ou le jaune et le violet. Celles-ci sont difficiles à réussir, mais en utilisant des coloris purs, y compris les fleurs blanches ou le feuillage, et en mêlant les plantes, on peut obtenir un bel effet. Les combinaisons polychromes combinent toutes les

À GAUCHE: *Les combinaisons complémentaires utilisent des couleurs opposées dans la roue des couleurs; la plus populaire étant pourpre et jaune, comme cette plate-bande de cataire, d'achillée, d'houstonia de montagne et d'œillet.*

PAGE OPPOSÉE: *Les combinaisons polychromes utilisent toutes les couleurs disponibles: un défi.*

EN BAS: *Dans un aménagement de vivaces, la forme et la texture des plantes sont des éléments importants. En les répétant, on souligne le dessin du jardin. Les sedums ouverts qui se répandent, 'Ruby Glow' et 'Autumn Joy', au feuillage de texture moyenne, sont contrebalancés par les fétuques bleus élancés, à fine texture et les lysimachies à la texture plus grossière.*

couleurs possibles; le résultat peut être de mauvais goût ou agréable.

La forme des plantes est une autre donnée importante dans le dessin d'un jardin. Les cinq formes de base des vivaces sont ronde, verticale, ouverte, droite, répandue et courbée. Les plates-bandes et les bordures peuvent être composées d'une seule forme, de la répétition de quelques formes, de combinaisons de formes complémentaires ou d'un mélange de toutes les formes.

La texture se rapporte à l'apparence de la plante et non pas à son aspect au toucher. Les termes fin, médium et grossier sont déterminés par la taille et la densité du feuillage et des fleurs. Comme avec la couleur, des illusions spatiales peuvent être créées avec la texture. Les plantes dont la texture est grossière semblent être plus proches et celles à texture fine semblent plus éloignées. Des plantes de texture grossière placées au fond donnent au jardin un aspect plus petit et les plantes à texture fine dans une bordure étroite la fait paraître plus large.

Lorsque votre site est analysé, appuyez-vous sur le plan de base et faites une liste des plantes que vous voulez y voir; vous êtes alors prêt à dessiner le plan du jardin. En dessinant un plan à l'échelle sur du papier quadrillé, ainsi vous obtiendrez un sens de l'espace et des proportions et vous saurez le nombre de plantes qui vous sont nécessaires. Déterminez les dimensions du site et tracez les formes des plates-bandes ou des bordures sur le papier quadrillé. À partir de votre liste de plantes, commencez à dessiner les grappes de plantes sur une feuille à tracer déposée sur le papier quadrillé; mettez-y le plus de caractéristiques possible de la plante, en code si vous le pouvez, afin de vous aider à obtenir une image réaliste du

EN HAUT:
Plusieurs vivaces vivent longtemps, il est donc important de bien préparer le sol. Enlevez les roches et mettez du compost. Avec une fourche, une bêche ou un motoculteur travaillez le sol à 20 cm de profondeur, ensuite incorporez de la matière organique et la quantité de fertilisant recommandée.

jardin. Par exemple, vous pourriez vouloir de l'information sur la hauteur, la forme, la couleur et la saison de floraison. Des couches successives de papier à tracer peuvent vous permettre d'expérimenter différentes combinaisons ou de voir l'apparence du jardin à chaque saison. Servez-vous de crayons de couleur ou de marqueurs pour indiquer les couleurs. À moins que le jardin ne soit vraiment très petit, placez ensemble trois plantes de la même espèce pour avoir un plus bel effet.

Même si cette façon de faire semble fastidieuse, en choisissant soigneusement les plantes convenant à votre milieu, à votre jardin et à vos préférences plutôt que d'acheter au hasard, vous aurez une meilleure chance de réussir un jardin remarquable pour les années à venir.

PRÉPARER LE SOL

Puisque le jardin de vivaces doit vous apporter des années de plaisir, la préparation du sol avant la plantation vaut tous les efforts que vous y mettrez. Si l'endroit est grand ou que vous n'êtes pas familier avec le pH et le niveau de nutriments du jardin, faites tester la terre au laboratoire ou faites un des tests simples qui sont disponibles dans les centres horticoles.

Le sol peut être endommagé si on le creuse, lorsqu'il est trop mouillé, attendez donc qu'il soit partiellement sec. Enlevez toutes les grosses pierres et mettez du compost. Pour de meilleurs résultats, employez une bêche ou une fourche pour retourner la terre sur une profondeur de 30 à 45 cm; en alternance, utilisez un motoculteur aussi profondément que possible. Étendez une couche de 5 à 7,5 cm de matière organique sur le dessus. Saupoudrez de la chaux pour ajuster le pH, selon les recommandations faites lors du test, et du fertilisant granulaire à action progressive, encore une fois selon les recommandations faites lors du test ou les directives de l'emballage. On recommande en moyenne 2,25 à 2,5 kg de fertilisant 5-10-5 ou 5-10-10 ou 4,5 kg d'engrais séché de vache ou de mouton pour 9 mètres carrés. Avec une bêche ou un motoculteur incorporez ces ingrédients au sol. Ratissez la surface également.

À DROITE: *Des vivaces achetées dans un centre horticole ou une pépinière peuvent être dans des pots de 10 cm ou des pots plus grands. Choisir les plantes sur place vous permet d'observer leur qualité et leur apparence.*

ACHAT ET PLANTATION DES VIVACES

Les plantes vivaces peuvent être achetées localement dans un centre horticole ou une pépinière, dans des pots de 10 cm ou de 3,75 litres. La plupart de ces plantes seront suffisamment adultes pour fleurir la première année. Choisissez des plantes qui sont fournies et compactes et dont le feuillage vert est sain, sans signe d'insectes ou de maladies.

Il existe plusieurs compagnies de vente par catalogue qui offrent des semences, alors que d'autres envoient de jeunes pousses, des plantes aux racines dormantes ou des plantes en pot plus vieilles et plus grosses. Certaines compagnies sont spécialistes de variétés rares et inhabituelles. Plusieurs ont des catalogues très colorés remplis de détails sur les différents plants, procurant une source d'information très valable. La majorité de ces compagnies sont sûres, mais si vous n'avez jamais commandé par catalogue auparavant, parlez à d'autres jardiniers de votre région pour connaître leur expérience. Les catalogues pour le printemps sont postés en hiver. Les plantes commandées alors seront livrées au début du printemps sous forme de plantes aux racines dormantes ou plus tard dans des contenants.

Si possible, faites la plantation pendant une journée fraîche et nuageuse, alors qu'on annonce de la pluie dans un jour ou deux. Il est préférable de travailler à la fin de l'après-midi plutôt que le matin. Évitez de travailler pendant une journée chaude ou venteuse.

Lorsque vous plantez des vivaces aux racines dormantes, les racines ne devraient pas sécher, alors placez de petits piquets dans des espacements appropriés, dans le sol déjà préparé et développez chaque plante, puis plantez-la individuellement. Avec la truelle, faites un trou suffisamment grand pour que les racines puissent s'étendre. À moins que ce ne soit indiqué autrement dans la section encyclopédique, placez au niveau du sol les racines, au point où elles rencontrent la tige ou la couronne. Remplissez de terre autour des racines et pressez légèrement. Ensuite arrosez à fond.

Même si les plantes en contenant peuvent être plantées en tout temps, on les achète durant la saison de croissance et on les plante de préférence au printemps, après le dernier gel. Plutôt que d'utiliser des piquets pour marquer les endroits de plantation, vous pouvez y placer les pots et les déplacer jusqu'à ce que vous soyez satisfait de l'espace trouvé. Lorsque vous êtes prêt à planter, creusez un trou, retirez doucement la plante du pot, libérez légèrement les racines avec vos doigts ou coupez-les au couteau si elles sont très denses et placez le tout dans le trou. Le niveau du sol devrait être juste un peu plus haut que le pot, puisque la plante va se placer. Ensuite arrosez complètement.

CI-DESSUS: *Les plantes qui ont poussé dans un contenant peuvent être plantées presque n'importe quand durant la saison de croissance. Préparez le sol et creusez un trou assez grand pour que les racines puissent facilement s'étendre. Enlevez délicatement la plante du pot, dégagez les racines et placez la plante dans le trou à la même profondeur que si c'était le pot. Remplissez de terre autour des racines, pressez légèrement et arrosez bien.*

FERTILISANTS

Un fertilisant complet contient de l'azote, du phosphore et du potassium. Le pourcentage de ces éléments, toujours dans l'ordre indiqué ci-dessus, est décrit par les trois chiffres indiqués sur l'emballage, comme 5-10-10. La majorité des vivaces cultivées pour leurs fleurs réussissent mieux avec un fertilisant possédant moins d'azote que des deux autres éléments, parce que l'azote stimule la croissance du feuillage au détriment des fleurs. Le fertilisant peut être appliqué sous forme granulaire, en pastilles à action contrôlée ou en liquide.

Un ajout de fertilisant n'est pas nécessaire durant la première année si le lieu de plantation fut bien préparé, bien qu'un peu de nourriture au milieu de l'été serait tout à fait correct. Dans les années suivantes, fertilisez une fois au printemps avec environ 1 kg de 5-10-10 ou de 5-10-5 par 9 mètres carrés et encore une fois au milieu de l'été. Les fertilisants liquides sont particulièrement bons pour nourrir seulement les plantes qui ont besoin de plus de nourriture ou celles qui ont besoin d'une stimulation supplémentaire.

CI-DESSUS:
Étendre un paillis de quelques centimètres de matière organique, comme cette écorce hachée en partie traitée en compost et ces branchages, est bénéfique de plusieurs façons. Il contribue à retenir l'humidité du sol plus longtemps, réduit le besoin d'arrosage, décourage les mauvaises herbes, conserve le sol frais et ajoute au sol de la matière organique vitale.

ARROSAGE

Bien que la plupart des vivaces supportent un sol moyen ou une terre parfois sèche, plusieurs vivaces s'épanouissent dans un sol qui reste également humide mais jamais détrempé. Si une pluie normale ne suffit pas, un arrosage supplémentaire s'impose.

La meilleure façon consiste à installer un boyau de caoutchouc, de plastique ou de canevas parmi les plantes. Arrosez le matin pour que le feuillage ait le temps de sécher avant la tombée de la nuit, car l'humidité contribue au développement des vecteurs de maladie. Détrempez le sol suffisamment; il devrait être humide jusqu'à 7,5 à 10 cm de profondeur.

DÉSHERBAGE ET ÉPANDAGE DE PAILLIS

Les mauvaises herbes sont inévitables dans un jardin. Essayez de les retirer lorsqu'elles sont encore jeunes, avant que les racines n'aient pénétré profondément ou qu'elles aient fleuri et fait des graines. Essayez de ne pas déranger les racines des vivaces. Si une grosse motte de terre est enlevée en désherbant, ramenez-en d'une autre partie du jardin.

Les mauvaises herbes sont contrôlées par l'ajout d'une couche de paillis. Cela ralentit aussi l'évaporation, garde le sol frais, ce qui stimule la croissance des racines, et ajoute de l'humus à la terre au fur et à mesure qu'il se décompose.

Au printemps, après avoir enlevé les mauvaises herbes, appliquez une couche de paillis de quelques centimètres sur la surface des plates-bandes et des bordures en le pressant légèrement près des vivaces. Quelques paillis organiques comprennent des cosses de sarrasin, de l'écorce de bois dur ou de séquoia, des épis de maïs hachés, des feuilles, du fumier pourri ou du compost à moitié pourri.

TUTEURAGE

Il y a deux sortes de tuteurage: celui pour les longues plantes à tige unique, comme le delphinium, la digitale, le napel et celui pour les plantes aux tiges minces et flasques comme l'achillée, l'aster, le chrysanthème et le coréopsis.

Choisissez des tiges de bambou ou de bois pour les grandes plantes. Vous les planterez à 30 cm dans le sol et à 2,5 cm de la tige. Attachez légèrement le tuteur à la plante, en vous servant d'une attache appropriée. Si vous serrez trop, la plante risque d'être blessée.

Les plantes fournies, aux tiges minces, peuvent être tenues par différents genres de supports, que l'on trouve

CI-DESSUS: *Le tuteur d'une longue plante possédant une seule tige, comme le delphinium, sera en bambou, en bois ou en métal, enfoncé à 30 cm et attaché légèrement à la plante à plusieurs endroits le long de la tige.*

CI-DESSUS:
Les plantes possédant plusieurs tiges minces peuvent être entourées de fines branches d'arbre au printemps.

dans le commerce, ou en encerclant la plante avec de minces branches d'arbre de 45 à 60 cm de long. Lorsque la plante atteint la moitié de cette hauteur, insérez quelques branches dans le sol autour de la plante. Au fur et à mesure que la saison avance, le feuillage masquera les branches.

PINÇAGE, ÉMONDAGE ET ENLÈVEMENT DES BOURGEONS

En pinçant l'extrémité d'une plante en croissance, on oblige les branches de côté à croître plus rapidement, produisant des plantes plus courtes, plus fortes, plus fournies et possédant plus de fleurs. Pincez avec vos doigts. Il faut le faire plusieurs fois avant que le mois de juillet commence. Les chrysanthèmes nécessitent ce traitement, mais d'autres vivaces comme les phlox et les asters en profitent aussi.

Certaines vivaces comprenant le phlox, le delphinium, l'hélénie automnale, la marguerite cultivée, l'aster, produisent tellement de racines que leur croissance est faible et la circulation d'air insuffisante: ce qui cause des maladies fongiques. L'émondage de quelques tiges, lorsqu'elles sont à 10 ou 15 cm de hauteur, réduit ce problème.

L'enlèvement de quelques bourgeons de fleurs permet à ceux qui restent de produire des fleurs plus grosses. Enlevez les petits bourgeons de côté, tôt lors du développement, sur les pivoines, les hibiscus et les chrysanthèmes à grandes fleurs.

COUPE DES FLEURS FANÉES

Comme le terme l'indique, la coupe des fleurs fanées consiste à enlever les fleurs mortes ou fanées. Ceci conserve le jardin plus propre et prévient le développement des semences, qui peut affaiblir la plante, arrêter sa floraison ou lui permettre de se réensemencer et de nuire. Souvent, les pousses sont de qualité inférieure au parent, surtout si celui-ci est un hybride ou un autre cultivar. Chez les plantes qui fleurissent tôt, comme le lupin, le phlox, l'anthemis ou le delphinium, l'enlèvement des fleurs fanées leur permet de fleurir une seconde fois à la fin de l'été ou à l'automne.

NETTOYAGE D'AUTOMNE ET PROTECTION POUR L'HIVER

Si plusieurs gels successifs ont tué les plantes, coupez les tiges mortes à 5 ou 10 cm. En enlevant ces débris du jardin, non seulement il est plus beau durant l'hiver, mais cela réduit aussi les endroits où les insectes nuisibles peuvent hiverner. Un paillis d'hiver protège les plantes tendres et empêche les

CI-DESSUS: *Ôter les fleurs fanées et couper les tiges aident votre jardin à rester attrayant et stimule la floraison. Le feuillage et les tiges qui ne sont pas malades peuvent être transformés en compost qui sera utilisé pour enrichir votre sol ou qui servira de paillis.*

vivaces aux racines peu profondes de sortir du sol par l'alternance de gel et de dégel de la terre. Attendez, avant d'appliquer ce paillis, que le sol ait gelé à une profondeur de 5 cm et que les plantes soient entièrement dormantes. Alors, étendez autour des plantes une couche de 1,5 à 7,5 cm de paillis léger, comme des feuilles de chêne, du foin de pré salé, des rameaux de pin ou de la paille. Cette couche sera plus épaisse pour les vivaces plus tendres.

CONTRÔLE DES INSECTES NUISIBLES ET DES MALADIES

Les insectes nuisibles sont rarement un problème pour la majorité des vivaces, surtout si des mesures préventives sont prises. Celles-ci comprennent:

- la fertilisation et l'arrosage régulier des plantes afin de les rendre vigoureuses, en santé et non stressées;
- la culture de variétés résistantes aux insectes nuisibles;
- l'enlèvement des insectes, qui seront déposés dans un bocal de kérosène;
- l'emploi de contrôles naturels comme les oiseaux, les grenouilles, les coccinelles, la mante religieuse et autres animaux qui se nourrissent d'insectes;
- la capture des perce-oreilles et des limaces par l'installation de planches dans le jardin le soir pour les détruire le matin;
- la vérification régulière des plantes et leur traitement si des insectes nuisibles sont détectés;
- l'enlèvement et la destruction du feuillage et des fleurs fanés ou malades pendant la saison;
- le nettoyage complet du jardin à l'automne, afin que les insectes nuisibles aient moins de place pour hiverner.

Si les insectes ou la maladie deviennent un problème sérieux, servez-vous d'un pesticide en suivant les recommandations du manufacturier. Les meilleurs contrôles organiques de la plupart des insectes sont les savons insecticides, le pyrethrum et le roténone; pour les chenilles, employez du bacillus thuringiensis. Les deux produits chimiques les plus sûrs ayant un grand spectre de contrôle sont le sevin (carbaryl) et le malathion. Pour les maladies fongiques, employez du benomyl ou du soufre. Il n'y a pas de solution aux maladies virales si ce n'est détruire la plante et contrôler les aphis ou les cicadelles qui propagent la maladie.

Les adèles sont des insectes qui font des tunnels dans le tissu de la feuille, laissant une trace blanche qui défigure la plante sans en affecter sa santé. On les contrôle en enlevant et en brûlant le feuillage endommagé.

Contrôlez la moisissure poudreuse par des applications de fongicide ou en émondant, afin de faciliter la circulation d'air autour des plantes et gardez la terre humide durant l'été. Évitez de mouiller le feuillage en arrosant.

CULTIVER LES VIVACES À PARTIR DE SEMENCES

La majorité des jardiniers achètent leurs vivaces dans des centres horticoles locaux, par catalogues ou par l'intermédiaire d'autres jardiniers. La culture des vivaces à partir de semences est beaucoup moins commune, sauf pour certaines plantes qui poussent déjà de cette façon. Celles-ci sont la marguerite anglaise, le delphinium, l'œillet, l'hibiscus, la digitale, la marguerite gloriosa, le lupin, la marguerite cultivée, la marguerite peinte.

Le procédé est similaire à celui de la culture des semences d'annuelles à l'intérieur ou en serre, excepté qu'il y aura souvent une attente de deux ans pour voir la plante fleurir. Cette longue période nécessite un endroit consacré à la croissance des plantes jusqu'à ce qu'elles soient transportées dans le jardin, où elles seront protégées durant l'hiver.

Les vivaces ont des exigences de germination différentes, vous devrez donc suivre les indications sur le paquet de semences. Utilisez tout l'équipement spécialisé nécessaire à l'ensemencement, comme des cubes, des pastilles ou des pots de mousse de sphaigne, des plateaux ou des réceptacles cellulaires remplis d'un mélange humide sans terre destiné à recevoir les semences. Ensemencez puis suivez les recommandations inscrites sur le paquet. Certaines semences de vivaces requièrent de la lumière ou de la chaleur pour germer, alors que d'autres ont besoin de température fraîche ou d'obscurité. Parfois l'écorce des graines nécessite certains traitements, comme d'être entaillée avec une lime ou d'être trempée dans l'eau bouillante. La période de germination varie beaucoup d'une variété à l'autre. Quel que soit le procédé, assurez-vous de garder le mélange humide. Lorsque les semences auront germé, donnez-leur de la lumière vive mais indirecte, soit par éclairage fluorescent ou en les mettant en serre.

Lorsque quelques feuilles se seront développées, transplantez les pousses dans des plus grands pots ou dans une plate-bande de serre.

Protégez-les par des lattes ou continuez la croissance dans une serre fraîche ou à l'intérieur, sous de l'éclairage, pendant quelques semaines, jusqu'à ce qu'elles recommencent à croître. Alors, transplantez-les dans une pépinière à l'extérieur. Arrosez-les et nourrissez-les régulièrement durant l'été. Étendez du paillis sur la plate-bande de la pépinière à la fin de l'automne après que le sol ait gelé ou couvrez avec un boîtier froid.

DIVISION DES VIVACES

Lorsque les vivaces croissent et grandissent, chacune des plantes veut garder pour elle l'eau, les nutriments et l'espace.

EN HAUT:
Pour diviser les vivaces, utilisez une bêche faisant office de fourche pour aller chercher une motte entière, divisez-la avec vos mains en plus petites parties.

Il faut donc diviser les vivaces et ceci devient une partie majeure de leur entretien. La division est nécessaire pour rajeunir la plante, contrôler sa dimension ou avoir des plantes supplémentaires.

Les plantes fleurissant au printemps et en été sont divisées à la fin de l'été ou à l'automne et celles fleurissant à l'automne sont divisées tôt au printemps. Il est préférable de faire la division au printemps dans les endroits où les hivers sont à -28°C ou plus froids, afin que les plantes aient une saison de croissance entière et soient bien acclimatées avant d'affronter les rigueurs de l'hiver; on fait exception pour les plantes qui fleurissent tôt au printemps, comme la primevère, le doronic et la pulmonaire.

Quelques jours avant de faire la division, arrosez bien la plate-bande. Pour une division faite au printemps, gardez deux ou quatre bourgeons ou pousses pour chaque section; lorsque vous divisez à l'automne ou pendant une période de croissance, coupez les plantes en deux et gardez au moins deux à quatre tiges dans chaque portion.

Avec une fourche ou une bêche, allez chercher la motte entière. Si possible, employez vos mains pour diviser la motte en plus petites parties. Lorsque les racines sont très entrelacées, insérez deux fourches dos à dos au centre et pressez les poignées l'une vers l'autre, pour séparer la motte. Pour les plantes dont les racines sont grosses comme des carottes, divisez-les avec un couteau. Si le centre de la motte n'est pas mort, il est parfois possible de se servir d'une bêche pour couper des portions sur le pourtour de la plante.

Remplissez le trou d'où vous avez tiré la motte avec de la terre de surface, de la matière organique et une poignée de 0-10-10 ou un autre fertilisant semblable. Replantez une ou quelques-unes des divisions dans le trou, si désiré, et replantez les autres dans une autre partie du jardin, partagez-les avec des amis ou jetez-les. Arrosez régulièrement les plantes jusqu'à ce qu'elles soient bien installées.

BOUTURAGE DES VIVACES À PARTIR DES TIGES ET DES RACINES

L'utilisation des boutures de tiges est une façon efficace d'avoir plus de plantes sans devoir déterrer la plante mère. Le printemps est généralement la meilleure période pour faire des boutures de plantes qui fleurissent en été et le début de l'été est le meilleur temps pour les plantes qui fleurissent au printemps et à l'automne.

Pour faire une bouture, coupez un morceau de 10 à 20 cm de long en haut d'une tige. Il est préférable de couper légèrement sous le point où les feuilles sont attachées à la tige. Enlevez les feuilles les plus basses, humidifiez le bout de la tige, trempez-la dans l'hormone d'enracinement et placez-la dans un pot de mélange sans terre, humidifié et préparé pour recevoir une bouture. Insérez une étiquette indiquant la date et le nom de la plante et couvrez le pot d'un sac de plastique. Placez dans un endroit chaud avec une lumière vive mais indirecte. Ne laissez pas le mélange sécher; vaporisez les boutures quelques fois par jour. Lorsque les boutures ont des racines et que de nouvelles pousses commencent, transplantez dans des pots plus gros ou dans une plate-bande de pépinière. Lorsque les plantes sont suffisamment grosses, transplantez-les dans le jardin.

Le bouturage des racines est utile lorsqu'on a besoin d'une grande quantité de plantes. Ce procédé réussit avec quelques vivaces. Tôt au printemps, coupez quelques racines sans déranger la plante ou déterrez la plante et coupez toutes les racines ou une partie de celles-ci.

Pour les plantes à racines délicates comme le phlox, l'achillée, le panicaut, l'euphorbe, la gaillarde, la sauge ou la stokésie, coupez les racines en morceaux de 5 cm et étendez-les horizontalement sur la surface d'un plateau de mélange à empoter humide. Couvrez-les de 12 mm de mélange humide. Maintenir humide jusqu'à germination, puis traitez-les comme des plants non repiqués.

Pour des plantes aux racines charnues, comme la monarde d'Amérique, la giroflée des murailles, le gypsophile, le pavot et la pivoine, coupez les racines en morceaux de 5 à 7,5 cm de long en disposant les extrémités supérieures dans la même direction. Plantez-les verticalement, les extrémités supérieures en haut, dans un mélange à empoter humide en laissant 6 mm de racine au-dessus du sol. Gardez-les humides jusqu'à germination, ensuite traitez-les comme des plants non repiqués.

UTILISATIONS SPÉCIALES, LIEUX ET CARACTÉRISTIQUES

VIVACES POUR FLEURS COUPÉES

Achillea ACHILLÉE
Aconitum NAPEL
Adenophora CAMPANULE (VARIÉTÉS CHOISIES)
Alchemilla ALCHÉMILLE VULGAIRE
Amsonia AMSONIE
Anchusa BUGLOSSE
Anemone ANÉMONE (VARIÉTÉS CHOISIES)
Anthemis MARGUERITE DORÉE
Aquilegia COLOMBINE
Asclepias ASCLÉPIADE
Aster ASTER
Astilbe ASTILBE
Baptisia FAUX INDIGO
Bergenia PLANTE DES SAVETIERS
Campanula CAMPANULE
Centaurea CHARDON BÉNIT
Centranthus VALÉRIANE ROUGE
Chrysanthemum CHRYSANTHÈME
Cimicifuga CIMICAIRE
Clematis CLÉMATITE
Coreopsis CORÉOPSIS
Delphinium PIED-D'ALOUETTE
Dianthus ŒILLET
Dicentra GIROFLÉE DES MURAILLES
Dictamnus FRAXINELLE
Digitalis DIGITALE
Doronicum DORONIC
Echinacea ÉCHINACÉE
Echinops CHARDON
Erigeron VERGERETTE
Eryngium PANICAUT
Eupatorium EUPATOIRE, EUPATOIRE POURPRÉE
Filipendula REINE DE LA PRAIRIE, REINE DES PRÉS
Gaillardia GAILLARDE
Geum BENOÎTE
Gypsophila GYPSOPHILE
Helenium HÉLÉNIE
Heliopsis HÉLIOPSIS
Helleborus HELLÉBORE
Hesperis JULIENNE DES DAMES
Heuchera HEUCHÈRE
Hosta LIS PLANTAIN
Iris IRIS
Kniphofia FAUX ALOÈS
Lavandula LAVANDE
Liatris LIATRIDE
Lobelia CARDINALE, GRANDE LOBÉLIE BLEUE
Lupinus LUPIN
Lychnis CROIX DE MALTE, AGROSTEMME EN COURONNE, SILÈNE
Lysimachia LYSIMAQUE
Macleaya BOCCONIA
Monarda MONARDE D'AMÉRIQUE
HERBES ORNEMENTALES
Paeonia PIVOINE
Papaver PAVOT
Phlox PHLOX
Physostegia PLANTE DOCILE
Platycodon PLATYCODON
Primula PRIMEVÈRE
Rudbeckia RUDBECKIE
Salvia SAUGE
Scabiosa SCABIEUSE
Sedum ORPIN
Solidago VERGE D'OR
Stokesia STOKÉSIE
Thalictum RUE DES PRAIRIES
Thermopsis THERMOPSIS DE CAROLINE
Veronica VÉRONIQUE
Viola VIOLETTE

VIVACES DE JARDIN MARÉCAGEUX

Aruncus ULMAIRE
Astilbe ASTILBE
Cimicifuga CIMICAIRE
Eupatorium EUPATOIRE, EUPATOIRE POURPRÉE
Fougères ONONCLÉE SENSIBLE, OSMONDE, FOUGÈRE ROYALE
Filipendula REINE DE LA PRAIRIE, REINE DES PRÉS
Helenium HÉLÉNIE
Hibiscus ROSE TRÉMIÈRE
Iris IRIS
Lobelia CARDINALE
Lysimachia LYSIMAQUE
Lythrum SALICAIRE COMMUNE
Monarda MONARDE D'AMÉRIQUE
Physostegia PLANTE DOCILE
Primula japonica PRIMEVÈRE JAPONAISE

VIVACES DE ROCAILLE

Alchemilla ALCHÉMILLE VULGAIRE
Aquilegia COLOMBINE
Arabis CORBEILLE D'ARGENT
Armeria ARMÉRIE
Artemisia ARMOISE COMMUNE
Asarum ASARET
Aubrietia AUBRIÈTE
Aurinia CORBEILLE D'OR
Bellis PÂQUERETTE
Bergenia PLANTE DES SAVETIERS
Campanula CAMPANULE (VARIÉTÉS CHOISIES)
Cerastium CÉRAISTE TOMENTEUX
Dianthus ŒILLET
Dicentra GIROFLÉE DES MURAILLES
Filipendula vulgaris FILIPENDULE
Gaillardia GAILLARDE 'GOBLIN'
Galium ASPÉRULE ODORANTE
Geranium BEC-DE-GRUE
Geum BENOÎTE
Heuchera HEUCHÈRE
Hosta LIS PLANTAIN (VARIÉTÉS CHOISIES)
Iberis IBÉRIDE
Iris IRIS (VARIÉTÉS CHOISIES)
Lavandula LAVANDE
Linum LIN
Phlox PHLOX (VARIÉTÉS CHOISIES)
Primula PRIMEVÈRE
Sedum ORPIN (VARIÉTÉS CHOISIES)
Stachys BÉTOINE
Veronica VÉRONIQUE (VARIÉTÉS CHOISIES)
Viola VIOLETTE

VIVACES POUR LA FRAGRANCE

Centranthus VALÉRIANE ROUGE
Cimicifuga CIMICAIRE
Dianthus ŒILLET
Dictamnus BUISSON ARDENT
Filipendula REINE DE LA PRAIRIE, REINE DES PRÉS
Galium ASPÉRULE ODORANTE
Hemerocallis HÉMÉROCALLE (VARIÉTÉS CHOISIES)
Hesperis JULIENNE DES DAMES
Hosta plantaginea LIS PLANTAIN
Iris germanica IRIS
Lavandula LAVANDE
Monarda MONARDE D'AMÉRIQUE
Oenothera OENOTHÈRE
Paeonia PIVOINE
Phlox paniculata PHLOX (VARIÉTÉS CHOISIES)
Primula PRIMEVÈRE (VARIÉTÉS CHOISIES)

VIVACES POUR LES FLEURS SÉCHÉES

Achillea ACHILLÉE
Alchemilla ALCHÉMILLE VULGAIRE
Anaphalis NACRÉE VIVACE
Artemisia ARMOISE COMMUNE
Asclepias ASCLÉPIADE
Belamcanda FAUX-IRIS TIGRÉ
Cimicifuga CIMICAIRE
Dictamnus BUISSON ARDENT
Echinacea ÉCHINACÉE
Echinops CHARDON
Eryngium PANICAUT
Gypsophila GYPSOPHILE
Helenium HÉLÉNIE
Heliopsis HÉLIOPSIS
Lavandula LAVANDE
Liatris LIATRIDE
Macleaya BOCCONIA
Oenothera OENOTHÈRE
HERBES ORNEMENTALES
Rudbeckia RUDBECKIE
Salvia SAUGE
Scabiosa SCABIEUSE
Sedum ORPIN
Solidago VERGE D'OR

UTILISATIONS SPÉCIALES, LIEUX ET CARACTÉRISTIQUES

VIVACES QUI ATTIRENT LES PAPILLONS ET LES COLIBRIS

Aquilegia COLOMBINE
Asclepias ASCLÉPIADE
Campanula CAMPANULE
Centaurea macrocephala CENTAURÉE GLOBULAIRE
Centranthus VALÉRIANE ROUGE
Delphinium PIED-D'ALOUETTE
Dianthus ŒILLET
Digitalis DIGITALE
Echinacea ÉCHINACÉE
Echinops CHARDON
Eupatorium EUPATOIRE, EUPATOIRE POURPRÉE
Hemerocallis LIS D'UN JOUR
Hesperis JULIENNE DES DAMES
Heuchera HEUCHÈRE
Iris germanica IRIS
Kniphofia FAUX ALOÈS
Liatris LIATRIDE
Lobelia CARDINALE
Lupinus LUPIN
Lychnis CROIX DE MALTE, AGROSTEMME EN COURONNE, SILÈNE
Lythrum SALICAIRE COMMUNE
Monarda MONARDE D'AMÉRIQUE
Nepata CATAIRE
Papaver PAVOT
Phlox PHLOX
Rudbeckia RUDBECKIE
Salvia SAUGE
Stachys BÉTOINE

VIVACES DE JARDIN EN PRAIRIE

Achillea ACHILLÉE
Amsonia AMSONIE
Anthemis MARGUERITE DORÉE
Asclepias ASCLÉPIADE
Aster ASTER
Baptisia FAUX INDIGO
Coreopsis CORÉOPSIS
Echinacea ÉCHINACÉE
Echinops CHARDON
Erigeron VERGERETTE
Eryngium PANICAUT
Eupatorium coelestinum EUPATOIRE, AGÉRATE RUSTIQUE
Gaillardia GAILLARDE
Helenium HÉLÉNIE
Heliopsis HÉLIOPSIS
Hemerocallis LIS D'UN JOUR
Liatris LIATRIDE
Linum LIN
Lobelia CARDINALE, GRANDE LOBÉLIE BLEUE
Lychnis CROIX DE MALTE, AGROSTEMME EN COURONNE, SILÈNE
Lysimachia LYSIMAQUE
Lythrum SALICAIRE COMMUNE
Monarda MONARDE D'AMÉRIQUE
Oenothera OENOTHÈRE
HERBES ORNEMENTALES
Physostegia PLANTE DOCILE
Rudbeckia RUDBECKIE
Solidago VERGE D'OR
Thermopsis THERMOPSIS DE CAROLINE

VIVACES POUR REVÊTEMENT DE SOL

Alchemilla ALCHÉMILLE VULGAIRE
Arabis CORBEILLE D'ARGENT
Armeria ARMÉRIE
Asarum ASARET
Aubretia AUBRIÈTE
Aurinia CORBEILLE D'OR
Bergenia PLANTE DES SAVETIERS
Brunnera BUGLOSSE
Campanula CAMPANULE (VARIÉTÉS CHOISIES)
Cerastium CÉRAISTE TOMENTEUX
Chrysogonum CHRYSOGONUM
Dianthus ŒILLET
FOUGÈRES
Geranium BEC-DE-GRUE
Galium ASPÉRULE ODORANTE
Gypsophila repens GYPSOPHILE RAMPANT
Heuchera HEUCHÈRE
Hosta LIS PLANTAIN
Iberis IBÉRIDE
Herbes ornementales FÉTUQUE BLEUE
Phlox subulata PHLOX DE TERRE
Stachys BÉTOINE

VIVACES NÉCESSITANT PEU D'ENTRETIEN

Achillea ACHILLÉE
Aconitum NAPEL
Alchemilla ALCHÉMILLE VULGAIRE
Amsonia AMSONIE
Artemisia ARMOISE COMMUNE
Aruncus ULMAIRE
Asclepias ASCLÉPIADE
Astilbe ASTILBE
Aurinia CORBEILLE D'OR
Baptisia FAUX INDIGO
Bergenia PLANTE DES SAVETIERS
Brunnera BUGLOSSE
Campanula CAMPANULE
Centaurea CENTAURÉE
Chrysanthemum coccineum PYRÈTHRE
Cimicifuga CIMICAIRE
Clematis CLÉMATITE
Coreopsis CORÉOPSIS
Dicentra CŒURS-SAIGNANTS
Dictamnus FRAXINELLE
Doronicum DORONIC
Echinacea ÉCHINACÉE
Echinops CHARDON
Erigeron VERGERETTE
Eryngium PANICAUT
Euphorbia EUPHORBE
Filipendula REINE DE LA PRAIRIE, REINE DES PRÉS
Geranium BEC-DE-GRUE
Gypsophila GYPSOPHILE
Helenium HÉLÉNIE
Heliopsis HÉLIOPSIS
Helleborus HELLÉBORE
Hemerocallis LIS D'UN JOUR
Heuchera HEUCHÈRE
Hibiscus ROSE TRÉMIÈRE
Hosta LIS PLANTAIN
Iberis IBÉRIDE
Iris sibirica IRIS DE SIBÉRIE
Liatris LIATRIDE
Linum LIN
Lychnis CROIX DE MALTE, AGROSTEMME EN COURONNE, SILÈNE
Lysimachia LYSIMAQUE
Lythrum SALICAIRE COMMUNE
Mertensia JACINTHE DE VIRGINIE
Nepeta CATAIRE
Oenothera OENOTHÈRE
HERBES ORNEMENTALES
Paeonia PIVOINE
Papaver PAVOT
Physostegia PLANTE DOCILE
Platycodon PLATYCODON
Polygonatum SCEAU-DE-SALOMON
Pulmonaria PULMONAIRE
Rudbeckia RUDBECKIE
Salvia superba SAUGE VIOLETTE
Scabiosa SCABIEUSE
Sedum ORPIN
Solidago VERGE D'OR
Stachys BÉTOINE
Stokesia STOKÉSIE
Thalictum RUE DES PRAIRIES
Thermopsis THERMOPSIS DE CAROLINE
Tradescantia ÉPHÉMÈRE DE VIRGINIE
Veronica VÉRONIQUE

SECTION ENCYCLOPÉDIQUE DES VIVACES

Les vivaces choisies pour illustrer ce livre comprennent les favorites depuis des générations et celles qui tout récemment ont trouvé leur place dans nos jardins. En plus du critère de popularité, nous avons retenu celui du temps pendant lequel une plante contribue à l'esthétique d'un jardin. Une plante doit fleurir pendant longtemps ou être jolie durant la plus grande partie de la saison de croissance. Par ailleurs, si le feuillage devient inintéressant, la plante devrait mourir rapidement pour être remplacée par d'autres.

À notre époque de stress dans nos vies, le jardinage devrait être une source de détente et non pas une autre corvée dans la liste de celles qui nous accaparent. L'entretien devient l'élément clé. Certaines vivaces anciennes demandent beaucoup de soins, mais sont tellement aimées qu'elles sont encore beaucoup cultivées. De plus en plus, cependant, les jardiniers choisissent des vivaces dont plusieurs caractéristiques en font des plantes de peu d'entretien. Ces caractéristiques comprennent la résistance aux insectes et aux maladies; la tolérance à une grande variété de sols et de conditions d'humidité; le peu de besoin de division (préférablement pas plus qu'une fois tous les quatre ans); la résistance à la chaleur de l'été et un besoin sporadique de tuteurage.

Peu de plantes possèdent tous ces critères, mais celles qui en ont suffisamment ont été indiquées dans la section présente. Un autre attribut est la rusticité; mises à part quelques exceptions, les plantes décrites résistent au moins à une température de -34°C. Par ailleurs, la plupart des plantes peuvent aussi être cultivées dans des régions où la température hivernale est beaucoup plus chaude, à l'exception des régions subtropicales.

DÉFINITION DES TERMES BOTANIQUES

Les noms communs, botaniques ou les doubles noms latins ont été employés pour décrire les plantes. Pour être identifiée, une plante a besoin de ses deux noms, tout comme une personne. Le nom commun d'une plante dans une région peut être utilisé pour une plante tout à fait différente dans une autre région, alors que les noms latin sont les mêmes dans le monde entier.

Un double nom comprend le nom générique, suivi du nom de l'espèce. Parfois il y a un troisième nom qui est une sous-espèce ou variété (var.).

PAGE PRÉCÉDENTE : *Salvia x superba* 'MAY NIGHT'

Les taxinomistes changent parfois les noms botaniques alors les plus vieilles formes ont été incluses pour rendre le texte plus clair. Une espèce pour le jardin, une variété, un clone ou le résultat du croisement d'un hybride s'appelle un cultivar; le nom du cultivar est inscrit entre guillemets. Les cultivars sont habituellement multipliés de façon végétative, par division ou bouturage, puisqu'ils pourraient ou non se reproduire par semence.

GUIDE D'UTILISATION DE LA SECTION ENCYCLOPÉDIQUE

- Les vivaces sont classées alphabétiquement par leur nom botanique ou par leur double nom latin.
- Sous la description de chaque plante se trouve un tableau des symboles qui donnent des informations simples sur la température appropriée et le lieu idéal de plantation ou sur les plantes qui sont recommandées pour des endroits ou des usages particuliers.
- L'information sur la couleur, la hauteur, la période de floraison, le sol, le soleil et les besoins d'espace pour toutes les vivaces décrites dans cette section est regroupée en un tableau situé à la fin du livre.

 Entretien facile

 Plein soleil

 Plein soleil à partiellement ombragé

 Partiellement ombragé

 Partiellement à complètement ombragé

 Résistant à la chaleur

 Fleurs coupées

 Fleurs séchées

 Fleurs odoriférantes

 Attire les papillons et les colibris

 Jardins en forme de prairie

 Revêtement de sol

 Rocailles

 Jardins aquatiques

ACHILLEA

ACHILLÉE

CERTAINES ACHILLÉES SONT indispensables à tout jardin où un entretien minimal est requis. Les feuilles grises ou vert foncé, en forme de plumes et à l'odeur forte, sont surmontées de grappes de fleurs plates qui durent un mois ou plus du début au milieu de l'été et même plus longtemps si les fleurs fanées sont enlevées. Les fleurs de l'achillée ont des tons de jaune, de rouge, de rose et de blanc et peuvent être coupées et utilisées fraîches ou séchées.

■ **ESPÈCES, VARIÉTÉS ET CULTIVARS** Il y a de nombreux cultivars et hybrides de hauteurs différentes chez l'achillée dorée ou feuille de fougère (*Achillea filipendulina*). *A. x taygeta* pousse jusqu'à 45 cm de hauteur, ses feuilles sont argentées et les fleurs jaune pâle.

L'achillée commune (*A. millefolium*), connue aussi comme le millefeuille, est une plante semblable à une mauvaise herbe aux fleurs blanc cassé, mais des variétés choisies avec des fleurs allant du rose au rouge sont préférables pour le jardin et font de bonnes fleurs coupées. Les plantes atteignent de 45 à 60 cm de hauteur avec des fleurs de 5 à 7,5 cm de diamètre. 'Cerise Queen', 'Fire King', 'Kelwayi' sont les cultivars disponibles. Un certain nombre de nouveaux hybrides atteignent jusqu'à 60 cm de hauteur et sont munis de larges grappes de fleurs de 10 cm. L'achillée sternutatoire blanche (*A. ptarmica*) peut être envahissante et nécessite une division aux deux ans, mais les fleurs font de beaux bouquets de fleurs coupées. L'*A. tomentosa* pousse rapidement et reste basse, elle est idéale pour les grandes rocailles ou en bordure.

Achillea filipendulina 'CORONATION GOLD'

Achillea millefolium 'FIRE KING'

■ **CULTURE ET SOINS** L'achillée pousse mieux en plein soleil dans un sol moyen ou pauvre et bien drainé. Si elle pousse dans un sol riche et humide, elle a tendance à se répandre. Espacez les types qui sont grands de 30 à 45 cm et les petits de 25 à 30 cm, soit un à un ou en groupes de trois. Les plus grandes variétés peuvent nécessiter du tuteurage. Divisez tous les quatre ans. Toutes sont rustiques à -46°C.

■ **PROPAGATION** Divisez les plantes au printemps en gardant quatre ou cinq jeunes pousses dans chaque portion. Semez.

■ **INSECTES NUISIBLES ET MALADIES** En général cette plante est exempte de problèmes, mais la galle de la couronne, la moisissure ou la rouille peuvent apparaître.

Adenophora confusa

ACONITUM

NAPEL OU ACONIT

LE MAGNIFIQUE ET ÉLÉGANT napel possède plusieurs qualités qui le distinguent: un feuillage divisé remarquable, de superbes tiges de fleurs capuchonnées bleues apparaissant tard à l'été et au début de l'automne et qui font de bonnes fleurs coupées; une certaine longévité et un besoin restreint de division.

Même si elle est une plante médicinale, toutes les parties comportent du poison et il faut faire attention avec de jeunes enfants.

■ **ESPÈCES, VARIÉTÉS ET CULTIVARS** Le napel azuré (*Aconitum carmichaelii* est parfois indiqué selon son ancien nom *A. fischeri*) pousse à une hauteur d'environ 90 cm. Il est rustique à -40°C. *A. x cammarum* (également indiqué comme *A. napellus*) possède des feuilles plus finement divisées et des fleurs passant du bleu au violet sur des tiges de 90 cm à 1,20 m du milieu à la fin de l'été. Rustiques à -28°C.

■ **CULTURE ET SOINS** Une telle luxuriance nécessite un sol riche en humus, légèrement acide, humide et bien drainé. Un arrosage régulier en été est nécessaire. La plante se comporte mieux dans un climat frais à modéré, mais pousse dans un climat plus chaud en autant qu'elle soit à l'ombre légère. Un paillis d'été, dans tous les climats, lui est bénéfique. Le tuteurage est préférable. Coupez les fleurs fanées pour stimuler la croissance. Plantez chacune à une distance de 45 cm des autres plantes et au milieu jusqu'au fond des bordures.

■ **PROPAGATION** Divisez à l'automne ou tôt au printemps. Semez.

■ **INSECTES NUISIBLES ET MALADIES** Elle est rarement attaquée, mais il peut se présenter de la pourriture, de la couronne, de la moisissure, de la mosaïque ou de la flétrissure.

  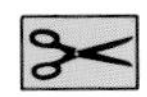

Aconitum carmichaelii

ADENOPHORA

CAMPANULE

DU MILIEU À LA FIN de l'été, la campanule a de délicates fleurs de 18 mm, bleues ou pourpres, ressemblant à des cloches et poussant sur des plantes de 60 à 90 cm qui vivent longtemps.

■ **ESPÈCES, VARIÉTÉS ET CULTIVARS** Originaire de la Chine, l'*A. confusa* est généralement plus courte, alors que l'*A. lilifolia* européenne est un peu plus grande, avec des fleurs odoriférantes, plus pâles.

■ **CULTURE ET SOINS** Elle croît au soleil ou à l'ombre légère et dans un sol riche en humus, humide et bien drainé. Elles ne se transplante pas facilement. Pour obtenir un bel effet, regroupez quelques plantes espacées de 30 cm. Elle est rustique à -40°C.

■ **PROPAGATION** Par ensemencement et par bouturage.

■ **INSECTES NUISIBLES ET MALADIES** Rarement attaquée.

Alchemilla mollis

ALCHEMILLA

ALCHÉMILLE VULGAIRE

PAR SES TOUFFES DE FEUILLES vert gris, aux plis semblables à l'éventail et aux bordures dentées, rondes et veloutées qui se répandent, l'alchémille vulgaire est devenue une habituée de la devanture des bordures. Les masses mousseuses de fleurs chartreuses durent pendant quelques semaines au début de l'été et sont très jolies dans des bouquets frais ou séchés. La plante vendue comme *Alchemilla mollis* ou *A. vulgaris* pousse à une hauteur de 30 cm et les hampes florales dépassent 15 cm.

■ **CULTURE ET SOINS** Elles préfèrent l'ombre partielle, mais elle tolère le plein soleil dans un climat aux étés frais. Dans les endroits où les hivers sont doux, la plante demeure verte. Un sol humide, bien drainé et riche en humus est nécessaire. Les plantes se réensemencent d'elles-mêmes, alors enlevez les fleurs fanées si vous n'en voulez pas d'autres. Elles ont rarement besoin d'être divisées, mais on peut le faire après la quatrième année, si on veut. Plantez par groupes de trois, espacez de 30 cm, ou plantez en masse pour obtenir un revêtement de sol. Rustique à -40°C.

■ **PROPAGATION** Divisez au printemps ou en automne. Semez.

■ **INSECTES NUISIBLES ET MALADIES** Rarement attaquée.

AMSONIA

AMSONIE

CETTE VIVACE NÉCESSITANT peu de soins possède des grappes rondes de fleurs bleues éparses en forme d'étoile de 12 mm sur des tiges raides de 60 à 90 cm. Elles contrastent agréablement avec d'autres fleurs plus fortement colorées au printemps et tôt en été. Elles font de bonnes fleurs coupées si elles sont cautérisées à la flamme pour prévenir le "saignement". Les feuilles étroites et luisantes semblables au saule restent belles toute la saison bien avant de devenir jaunes à l'automne. L'espèce la plus facilement disponible est l'*A. tabernaemontana.*

■ **CULTURE ET SOINS** Elle pousse dans un sol moyennement humide ou sec, en plein soleil ou à l'ombre légère. L'ajout d'humus au sol et d'un paillis favoriseront une meilleure croissance, mais ne pas trop fertiliser, car la croissance sera trop ouverte. La plante forme des touffes de 45 à 60 cm de largeur et devrait être plantée seule ou en petits groupes espacés de 45 cm, dans le milieu d'une bordure. Rustique à -40°C.

■ **PROPAGATION** Divisez au printemps. Semez.

■ **INSECTES NUISIBLES ET MALADIES** Rarement attaquée.

Amsonia tabernaemontana

Anaphalis cinnamomea

ANAPHALIS

NACRÉE VIVACE

PENDANT TOUT L'ÉTÉ, de petits groupes de fleurs blanc perle sur des tiges de 60 cm procurent des éléments qui se retrouvent dans les arrangements de fleurs séchées. Coupez juste au moment où les fleurs commencent à montrer leur centre, les mettre d'abord dans un vase rempli d'eau pendant quelques heures, ensuite les suspendre la tête en bas dans un endroit noir et sec. C'est un des rares plants à feuillage argenté ou gris capable de croître dans un sol humide.

■ **ESPÈCES, VARIÉTÉS ET CULTIVARS** *Anaphalis triplinervis* forme un monceau de feuilles grises en forme de lances, qui deviennent plus vertes lorsque la plante s'épanouit. *A. Cinnamomea* (répertoriée aussi comme *A. yedoensis*) possède des feuilles plus étroites et des tiges laineuses. C'est un meilleur choix pour les sols secs.

■ **CULTURE ET SOINS** Elle pousse mieux dans un sol humide mais bien drainé, en plein soleil ou à l'ombre légère. Plantez seule ou en groupe de trois en les espaçant de 30 cm. Rustique à -40°C.

■ **PROPAGATION** Divisez au printemps, habituellement tous les quatre ans.

■ **INSECTES NUISIBLES ET MALADIES** Rarement attaquée.

Anchusa azurea

ANCHUSA

BUGLOSSE

LA BUGLOSSE, RESSEMBLANT au myosotis, est aimée pour ses branches aérées de fleurs bleu foncé, intensément colorées, qui fleurissent longtemps en été. Il y a un certain nombre de variétés d'*Anchusa azurea*.

■ **CULTURE ET SOINS** Elle préfère un sol profond, riche en humus, bien drainé, en plein soleil ou légèrement à l'ombre. Il faut couper les fleurs fanées pour stimuler une seconde floraison. Le feuillage rude et chevelu peut retomber s'il n'est pas retenu par des tuteurs. La plante ne vit pas longtemps, mais se réensemence facilement. Il faut diviser tous les deux ou trois ans. Plantez un seul plant ou les répartir en groupes de trois près de l'arrière d'une bordure, en espaçant les plants de 45 cm. Rustique à -40°C.

■ **PROPAGATION** Divisez ou bouturez les racines au printemps ou à l'automne. Semez.

■ **INSECTES NUISIBLES ET MALADIES** Cicadelles; mosaïque; rouille.

 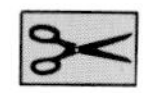

ANEMONE

ANÉMONE JAPONAISE, ANÉMONE À FEUILLES DE RAISIN

L'ANÉMONE EST UN GROUPE de plantes diverses, comprenant à la fois des vivaces et des plantes à bulbe, dont certaines sont plus adaptées aux terrains boisés ou aux rocailles.

■ **ESPÈCES, VARIÉTÉS, CULTIVARS** La variété d'anémone japonaise qui fleurit à l'automne (*A. x hybrida* appelée aussi *A. hupehensis* var. *japonica*) et l'anémone à feuilles de raisin (*A. vitifolia* ou *A. tomentosa* 'Robustissima') sont parmi les plus jolies vivaces pour le jardin. Les fleurs aux nuances de rose ou de blanc se perchent sur de minces tiges ondulantes, telles des branches jaillissant à 60 cm de feuilles vert foncé profondément lobées. L'anémone à feuilles de raisin fleurit un mois plus tôt et s'intègre bien aux arbustes. Chez l'anémone fleurissant au printemps, la pulsatille (*A. pulsatilla*, connue aussi sous le nom de *Pulsatilla vulgaris*) possède des feuilles inhabituelles, ressemblant à la fougère, couvertes d'un duvet blanc soyeux et de cosses poilues remplies de graines. La plante atteint 20 à 30 cm de hauteur. Rustique à -34°C. L'anémone perce-neige (*A. sylvestris*) fleurit un peu plus tard au printemps et donne des fleurs blanches odoriférantes sur un plant de 30 cm. Les racines se répandent rapidement et forment vite une colonie.

■ **CULTURE ET SOINS** L'anémone fleurissant à l'automne doit être à l'ombre partielle ou en plein soleil, dans un endroit à l'abri du vent et dans un sol à l'humus riche, humide en été, mais bien drainé. L'anémone à la feuille de raisin est un peu plus résistante à la chaleur, au froid, au soleil et au sol sec. Rustique à -28°C, la plante progresse lentement, même avec des conditions idéales, mais elle vit longtemps et ne doit pas être dérangée. Pour l'anémone japonaise, on recommande un mélange léger de paillis de paille, de feuilles de chênes ou de rameaux de conifères. Elle est à son meilleur si on la plante en groupe de trois, espacés de 45 cm. L'anémone qui fleurit au printemps a besoin de plein soleil ou d'ombre partielle et d'un sol bien drainé; elle s'autoensemence en l'espaçant de 20 cm. Rustique à -34°C. L'anémone perce-neige pousse dans l'ombre partielle et un sol riche en humus, bien drainé. Rustique à -40°C.

■ **PROPAGATION** Boutures de racines ou division à l'automne.

■ **INSECTES NUISIBLES ET MALADIES** Cantharide; feuille tachetée; rouille.

 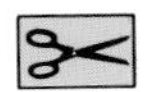

Anemone x hybrida 'SEPTEMBER CHARM'

Anthemis tinctoria 'KELWAYI'

ANTHEMIS

MARGUERITE DORÉE

CETTE FLEUR, SEMBLABLE à la marguerite jaune soleil, est excellente comme fleur coupée. Son feuillage semblable à la fougère est aromatique et elle résiste à la chaleur et à la sécheresse. Elle aime un sol sablonneux, légèrement alcalin. Ce sont les particularités de la marguerite *Anthemis tinctoria*.

■ **ESPÈCES, VARIÉTÉS, CULTIVARS** L'*A. marschalliana*, appelée aussi *A. biebersteiniana*, forme des groupes denses et longs de 25 cm de feuillage argenté semblable à des plumes, parfait dans une rocaille. Plantez-les à 30 cm de distance. Rustique à -34°C. La camomille de St John (*A. sanctijohannis*) est semblable à la marguerite dorée, mais possède des fleurs d'un orangé éclatant et des feuilles gris vert. Elle fait aussi une excellente fleur coupée. Rustique à -28°C.

■ **CULTURE ET SOINS** La plante a tendance à avoir un centre mort et doit être divisée à chaque deux ans ou presque. Le tuteurage peut être nécessaire pour une plante de 60 cm. Cultivez en plein soleil, dans un sol moyen, bien drainé, en espaçant les plants de 38 cm. Enlevez les fleurs fanées régulièrement pour prolonger la floraison.

■ **PROPAGATION** Divisez au printemps. Semez.

■ **INSECTES NUISIBLES ET MALADIES** Rarement importunée, excepté par la moisissure lorsque la circulation d'air fait défaut.

AQUILEGIA

COLOMBINE

Depuis longtemps favorite des jardins, la colombine ou ancolie mérite d'avoir de l'espace pour exhiber ses fleurs hâtives à la forme inhabituelle. Le calice et l'éperon peuvent être de la même couleur ou de couleurs contrastantes. Les fleurs peuvent être doubles et font de bonnes fleurs coupées.

■ **ESPÈCES, VARIÉTÉS, CULTIVARS** 'McKanna's' est devenue une des variétés les plus populaires depuis son introduction en 1955. Il y a une vaste gamme de couleurs chez les grandes fleurs à croissance robuste de 75 à 90 cm de hauteur. On remarque surtout la colombine éventail japonaise (*Aquilegia flabellata*) à cause de ses fleurs bleues éclatantes, aux tiges se courbant de manière marquée vers l'intérieur, et de ses feuilles bleu gris en forme d'éventail sur des plants de 38 cm. La forme naine aux fleurs blanches pousse à une hauteur de 20 à 30 cm.

■ **CULTURE ET SOINS** Cette plante gracieuse est utile dans les plantations ensoleillées de vivaces, dans un climat plus frais, mais dans la majorité des endroits, elle réussit mieux dans des bordures et des boisés légèrement ombragés. Les types plus courts sont excellents dans les rocailles. Un sol bien drainé est essentiel, mais s'il est trop sec, la plante ne le supportera pas. Cette plante s'autoensemence. Espacez les plants de 30 cm. Rustique à -40°C.

■ **PROPAGATION** Semez.

■ **INSECTES NUISIBLES ET MALADIES** Adèles.

Aquilegia flabellata 'NANA'

Arabis Caucasica

ARABIS

CORBEILLE D'ARGENT

BIEN QUE LA CORBEILLE D'ARGENT de rocher soit cultivée dans la rocaille, deux espèces conviennent particulièrement bien aux bordures, comme accent le long des murs, des berges ou à d'autres particularités d'un ensemble paysager.

■ **ESPÈCES, VARIÉTÉS, CULTIVARS** Les touffes rampantes de 20 cm de douces feuilles gris vert caractérisent l'*Arabis caucasica*, alors que l'*A. procurrens* forme une touffe compacte de petites feuilles luisantes qui ne tombent jamais. Les deux portent des éperons de 12 mm donnant des fleurs blanches odoriférantes au printemps.

■ **CULTURE ET SOINS** Elle a besoin d'un sol meuble, bien drainé, calcaire, d'une fertilité moyenne et d'être en plein soleil. Coupez les fleurs qui ont fleuri. Espacez les plants de 20-30 cm. Rustique à -40°C.

■ **PROPAGATION** Divisez au printemps. Semez.

■ **INSECTES NUISIBLES ET MALADIES** Aphis; racine massue; taches sur les feuilles; moisissure. Elle pourrira là où les étés sont chauds et humides.

ARMERIA

ARMÉRIE, ŒILLET DE MER

DES TOUFFES DE FEUILLES persistantes semblables à du gazon portent des tiges sans feuilles aux fleurs rondes, roses ou blanches, de 2,5 cm, fleurissant au printemps et au début de l'été. L'armérie est excellente dans les rocailles, entre les pierres décoratives, le long des murs ou devant une bordure.

■ **ESPÈCES, VARIÉTÉS, CULTIVARS** Quelques variétés de l'*Armeria maritima* mesurant 15 cm valent la peine d'être remarquées comme la blanche 'Alba', la rouge cerise 'Dusseldorf Pride', la rouge intense 'Bloodstone' et la rose profond 'Vindictive'. L'armérie plantain (*A. pseudoarmeria* ou *A. plantaginea*) forme des touffes plus solides de 45 cm de hauteur, mais toujours avec des feuilles étroites.

■ **CULTURE ET SOINS** Elle doit être dans un sol moyen à sablonneux, bien drainé et en plein soleil. Espacez les plants de 20 à 30 cm. Divisez tous les trois ans. Enlevez les fleurs fanées régulièrement. Rustique à -40°C.

■ **PROPAGATION** Divisez au printemps. Semez. Coupez à la base, tard à l'automne.

■ **INSECTES NUISIBLES ET MALADIES** Rarement attaquée.

Armeria maritima

ARTEMISIA

ARMOISE COMMUNE, ARMOISE AMÈRE, AURONNE (CITRONNELLE)

CES PLANTES AUX FEUILLES argentées ou grises sont cultivées surtout pour l'effet du feuillage. Seule l'armoise commune, *Artemisia lactiflora*, est cultivée pour ses masses de petites fleurs odoriférantes d'un blanc crémeux, naissant sur des plantes de 1,20 à 1,80 m de hauteur, au milieu de l'été.

■ **ESPÈCES, VARIÉTÉS, CULTIVARS** Évitez l'armoise commune (*A. vulgaris*) et l'armoise romaine (*A. pontica*) parce qu'elles sont toutes deux très envahissantes. La plus recherchée pour son feuillage argenté est l'*A. schmidtiana* 'Silver Mound'. Les touffes en forme de plumes de 30 cm ont un diamètre de 45 cm. En taillant la plante avant la floraison, on réduit sa tendance à s'ouvrir au centre. Elle peut aussi pourrir dans un climat chaud et humide. L'auronne (*A. abrotanum*) et l'armoise amère (*A. absinthium*) poussent à une hauteur de 45 à 60 cm et sont munies de feuilles grises finement divisées. Les deux sèchent facilement pour faire des arrangements floraux et des couronnes pour être mises dans des sachets contre les mites. L'armoise de plage (*A. stelleriana*) est une plante résistante et adaptable; elle pousse de 30 à 45 cm de hauteur.

■ **CULTURE ET SOINS** Elles poussent facilement en plein soleil, dans un sol sec et bien drainé. Espacez les plants de 30 à 60 cm de distance. Rustique à -34°C.

■ **PROPAGATION** Divisez au printemps. Bouturez.

■ **INSECTES NUISIBLES ET MALADIES** Rarement atteintes.

Artemisia absinthium 'LAMBROOK SILVER'

Aruncus dioicus

ARUNCUS

ULMAIRE

L'ULMAIRE (*Aruncus dioicus* aussi connue sous le nom de *A. sylvester*) mérite d'être mieux connue; c'est une jolie plante, grande et en forme d'arbuste, idéale pour le fond d'une bordure, le centre d'une plate-bande, parmi des arbustes, dans un jardin de fleurs sauvages ou à côté d'un étang. La plante pousse jusqu'à 90 cm ou plus de diamètre et jusqu'à 1,50 m de hauteur et elle arbore de magnifiques grappes de minuscules fleurs blanc crème, comme des plumes, s'épanouissant au début de l'été. Les feuilles sont segmentées et les tiges se développent facilement. La variété 'Kneiffi' possède de petites feuilles étroites, ce qui lui donne une apparence délicatement texturée; elle pousse seulement jusqu'à 60-90 cm de hauteur.

■ **CULTURE ET SOINS** Vivant longtemps, elle pousse mieux à l'ombre partielle et supporte une variété de sols, mais elle préfère un sol humide, riche en humus. La plante supportera le plein soleil si le sol est toujours humide. Elle n'a presque jamais besoin de tuteur et n'est pas envahissante. Plantez à une distance de 60 à 75 cm. Coupez les tiges de quelques centimètres à l'automne. Rustique à -34°C.

■ **PROPAGATION** Divisez au printemps ou à l'automne si désiré, même si c'est parfois difficile et rarement nécessaire.

■ **INSECTES NUISIBLES ET MALADIES** Rarement attaquée, parfois par les tenthrèdes ou les chenilles, au printemps.

Asarum europaeum

ASARUM

ASARET OU GINGEMBRE SAUVAGE

Avec ses feuilles luisantes en forme de cœur, de 15 cm de hauteur, l'asaret européen (*A. europaeum*) forme un revêtement de sol dense, excellent dans les endroits entièrement ou partiellement ombragés. Dans les lieux aux hivers doux, le feuillage luisant reste toujours vert. L'asaret appelé aussi gingembre sauvage tire son nom de l'arôme du feuillage et des racines lorsqu'elles sont écrasées. Il est rarement envahissant. Au printemps, des fleurs en forme de cloche, d'un pourpre brun et d'un diamètre de 2,5 cm ou moins, poussent au niveau du sol. L'asaret d'Amérique du Nord (*A. canadense*) possède des feuilles mates décidues.

■ **CULTURE ET SOINS** En plus de l'ombre, il doit avoir un sol humide, bien drainé et riche en humus, afin de bien pousser. Plantez à une distance de 20 à 30 cm et à une profondeur de 2,5 cm. Rustique à -28°C.

■ **PROPAGATION** Divisez au printemps.

■ **INSECTES NUISIBLES ET MALADIES** Rarement attaqué, à l'exception des endroits où les limaces et les escargots prolifèrent.

ASCLEPIAS

ASCLÉPIADE

Les grappes de fleurs d'un orangé vif ou jaune apparaissant au milieu de l'été méritent bien leur surnom d'herbe à papillons (*A. tuberosa*). Cette plante vivant longtemps et facile d'entretien est apparentée au laiteron, car à l'automne, elles forment toutes deux des cosses en forme de canot très utiles dans les arrangements de fleurs séchées. L'asclépiade peut servir de fleur coupée, mais les tiges doivent être cautérisées à la flamme d'une chandelle pour prévenir la sève laiteuse de couler. Les tiges robustes possèdent des feuilles longues, étroites et poilues; la plante pousse à une hauteur de 60 à 90 cm avec des groupes de tiges orientées vers le haut. Les nuances de couleurs et le temps de floraison varient.

■ **CULTURE ET SOINS** Avec ses racines pivotantes, elle résiste à la sécheresse et pousse mieux dans un sol de sablonneux à moyen, bien drainé et en plein soleil. La plante pousse lentement au printemps, il faut donc bien marquer son espace. Plantez à une distance de 30 cm, au printemps ou à l'automne lorsque la plante est dormante, en plaçant la racine pivotante verticalement et le point où les tiges émergent de 2,5 à 5 cm sous la surface du sol. Rustique à -40°C.

■ **PROPAGATION** Semez. Divisez ou bouturez tôt au printemps.

■ **INSECTES NUISIBLES ET MALADIES** Rarement attaquée.

Asclepias tuberosa

Aster x frikartii

ASTER

ASTER, MARGUERITE MICHAELMAS

L'ASTER FAIT PARTIE OBLIGÉE des jardins d'été et d'automne et le plus populaire dans les jardins pousse de 30 cm jusqu'à 1,80 m de hauteur. Les fleurs en forme de marguerite sont bleues, lavande, pourpres, roses, rouges ou blanches avec un centre jaune.

■ **ESPÈCES, VARIÉTÉS, CULTIVARS** L'*aster x frikartii* est considéré la meilleure des vivaces. Les bosquets ouverts poussent jusqu'à 60 ou 90 cm de hauteur et leurs fleurs, de 5 à 7,5 cm bleu lavande et odoriférantes, poussent pendant une longue période en été et à l'automne; elles font d'excellentes fleurs séchées. Bien que rustique à -28°C, il faut mettre du paillis de rameaux de conifères si nécessaire dans les endroits de -23°C ou plus froid; le sol doit être bien drainé. L'aster de Nouvelle-Angleterre (*A. novae-angliae*) aime le sol mouillé. Ses feuilles gris vert sont chevelues et forment de grandes grappes de tiges rigides, ligneuses, poussant de 90 cm jusqu'à 1,80 m de hauteur. Les fleurs pourpre foncé fleurissent longtemps et sont de 2,5 à 5 cm de diamètre, elles se referment durant la nuit. L'aster de New York (*A. novi-belgii*) et ses nombreux hybrides poussent habituellement à une hauteur de 30 cm jusqu'à 1,20 m. La plante fleurit durant l'automne et fait d'excellentes fleurs coupées. Là où la saison de croissance est longue, pincez les pointes qui poussent deux fois jusqu'au milieu de l'été, afin de rendre la plante plus fournie. Installez un tuteur pour les variétés plus hautes.

■ **CULTURE ET SOINS** Il réussit mieux en plein soleil, dans un sol humide mais bien drainé, moyen à riche en humus. Étendez du paillis à la fin du printemps pour retenir l'humidité du sol et arrosez durant les sécheresses. Enlevez les fleurs fanées régulièrement parce que cette plante qui s'ensemence elle-même n'est pas fidèle à son type et peut devenir semblable à une mauvaise herbe. Coupez les tiges lorsque la floraison est terminée à l'automne. Installez un tuteur pour les variétés qui poussent beaucoup. Plantez à une distance de 30 à 45 cm. L'aster ne pousse pas bien dans un climat côtier chaud ou semi-tropical. La plupart des variétés sont rustiques à -34°C.

■ **PROPAGATION** Il est nécessaire de diviser aux deux ans la plupart des hybrides, au printemps ou à l'automne. Bouturez. Semez.

■ **INSECTES NUISIBLES ET MALADIES** Moisissure poudreuse; coléoptères japonais; limaces; chenilles.

Astilbe x arendsii 'PEACH BLOSSOM'

ASTILBE

ASTILBE

L'ASTILBE EST UNE DES VIVACES les plus appréciées, elle se cultive facilement et vit longtemps dans les endroits ombragés. La plupart des plants ont des touffes de feuilles segmentées, vert foncé. Selon le cultivar, la floraison se fait du début à la fin de l'été. Les éperons semblables à des plumes possèdent de minuscules fleurs dans les nuances de rose, de rouge et de blanc qui peuvent servir de fleurs coupées.

■ **ESPÈCES, VARIÉTÉS, CULTIVARS** Le groupe d'hybrides *Astilbe x arendsii* est le plus disponible. La majorité des cultivars croissent à une hauteur de 60 à 90 cm et sont ornés d'un feuillage vert foncé ou tirant vers le rouge. L'*A. chinensis* 'Pumila' rampant forme un épais tapis agrémenté de fleurs rose magenta poussant à une hauteur de 30 cm. L'*A. taquetii* 'Superba' pousse de 90 cm à 1,20 m et ses feuilles vert bronze sont larges et hautes, alors que les tiges étroites portent des fleurs rose magenta; elle est la dernière astilbe à fleurir et celle qui résiste le plus à la chaleur et à la sécheresse.

■ **CULTURE ET SOINS** Elle préfère l'ombre partielle et un sol humide mais bien drainé, riche en humus et recevant une bonne fertilisation. Dans un climat plus frais, le plein soleil est acceptable. Plantez à une distance de 30 à 45 cm. Rabattez tard à l'automne ou au début du printemps. Rustique à -34°C.

■ **PROPAGATION** Divisez tôt au printemps aux trois ans pour assurer une grande croissance et de meilleures fleurs.

■ **INSECTES NUISIBLES ET MALADIES** Rarement ennuyée, bien que les coléoptères japonais, les limaces et les escargots peuvent constituer un problème.

AUBRETIA

AUBRIÈTE

Une superbe habituée du jardin printanier, l'aubriète pourpre (*Aubrietia deltoidea*) est dans toute sa gloire sur le devant d'une bordure, émergeant d'un mur de pierres, dans une rocaille ou parmi les dalles. Elle forme des tapis de feuilles vert gris de 15 cm d'épaisseur qui s'étalent sur 30 cm ou plus de diamètre. La fleur de 12 mm ou plus peut être pourpre, rose, rouge ou lavande, selon le cultivar.

■ **CULTURE ET SOINS** Elle s'épanouit en plein soleil, mais tolère l'ombre partielle et a besoin d'un sol sablonneux, bien drainé, contenant de la chaux ainsi qu'un climat humide, pour mieux croître. Dans un endroit ou l'été est chaud, la plante ne vivra pas longtemps. Coupez-la après la floraison, exceptées celles qui sont sur les murs dont on se contentera d'enlever les fleurs fanées. Espacez les plants de 15 à 20 cm. Rustique à -28°C.

■ **PROPAGATION** Divisez à l'automne. Bouturez à l'automne et conservez en hiver dans une serre ou un boîtier froid. Semez.

■ **INSECTES NUISIBLES ET MALADIES** Rarement ennuyée.

Aubretia deltoidea

AURINIA

CORBEILLE D'OR

Le soleil du printemps semble être descendu sur terre dans la corbeille d'or, *A. saxatilis* (connue aussi sous le nom de *Alyssum saxatile*). Cette plante facile à cultiver possède d'épais monticules de feuilles chevelues vert gris, couvertes de minuscules fleurs jaune vif au printemps. Utilisez-la comme bordure de sentier ou d'escalier, à l'avant-plan d'une bordure, dans une rocaille ou se répandant sur un mur de pierres; elle constitue un accompagnement parfait aux bulbes printaniers. À part l'espèce, il existe des variétés à feuilles versicolores, à fleurs doubles, à croissance naine et des fleurs de diverses nuances de jaune.

■ **CULTURE ET SOINS** Pour une meilleure croissance, elle a besoin de plein soleil et d'un sol très bien drainé, de pauvre à moyen, à sablonneux. Ne pas fertiliser, car un sol riche fait ouvrir les plants qui se répandent et rampent. Leur vie sera courte là où l'été est chaud et humide. Taillez la plante du tiers ou de la moitié après qu'elle a fleuri, pour stimuler une nouvelle croissance touffue. Espacez les plants de 20 à 30 cm. Rustique à -34°C.

■ **PROPAGATION** Divisez au printemps. Bouturez en été. Semez.

■ **INSECTES NUISIBLES ET MALADIES** La racine massue tue les racines nourricières et la plante doit être déterrée et détruite. Les feuilles pourrissent en climat humide. Puces de terre.

 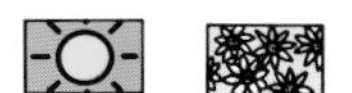  

Aurinia saxatilis

Baptisia australis

BAPTISIA

FAUX INDIGO

Le faux indigo (*B. australis*) est une plante luxuriante, élégante, en forme d'arbuste dont les tiges droites qui s'embranchent atteignent de 90 cm à 1,20 m. Les feuilles sont bleu vert et les fleurs de 2,5 cm, d'un bleu profond ressemblent à des pois. Après la floraison, au début de l'été, les cosses sont également jolies et, avec les fleurs, elles peuvent servir de bouquet coupé.

■ **CULTURE ET SOINS** Il vit longtemps, n'est pas envahissant et un peu difficile à transplanter; il faut donc bien choisir l'endroit où le planter. Il accepte un sol sec à cause de ses racines pivotantes et pousse en plein soleil ou à l'ombre partielle, dans un sol moyen jusqu'à riche en humus et bien drainé. Espacez les plants de 60 cm. Rustique à -40°C.

■ **PROPAGATION** Semez à l'extérieur aussitôt que les graines sont mûres ou au printemps.

■ **INSECTES NUISIBLES ET MALADIES**
Rarement envahi.

BELAMCANDA

FAUX-IRIS TIGRÉ

La plante du faux-iris tigré (*B. chinensis*) ressemble à l'iris et pousse jusqu'à 75 cm. Au milieu de l'été, les tiges formant des embranchements portent des grappes de fleurs jaune orangé de 5 cm, tachetées de points rouge pourpre. En fanant, les fleurs forment des gousses dont les graines noires luisantes ressemblent à des mûres; elles font de beaux arrangements séchés. Les plantes s'ensemencent elles-mêmes facilement, mais les pousses peuvent être enlevées sans peine si on n'en veut pas. *B. flabellata* pousse jusqu'à 30 cm et porte des fleurs jaunes non diaprées.

■ **CULTURE ET SOINS** Il pousse bien en plein soleil et à l'ombre partielle et supporte un sol bien drainé, moyen jusqu'à riche en humus. Plantez à 2,5 cm de profondeur et espacé de 30 cm. Il paraît bien au centre d'une bordure. Cette plante vit longtemps et a rarement besoin d'être divisée. Rustique à -28°C.

■ **PROPAGATION** Semez. Divisez les rhizomes au printemps ou à l'automne.

■ **INSECTES NUISIBLES ET MALADIES**
Rarement attaqué, mais parfois par l'insecte perforant des iris.

Belamcanda chinensis

Bellis perennis

BELLIS

PÂQUERETTE

LA PÂQUERETTE (*B. perennis*) est souvent cultivée comme une bisannuelle. De toute façon, elle est vivace et on l'aime lorsqu'elle souligne une bordure ou une rocaille au printemps ou tôt à l'été. Il existe plusieurs variétés, possédant des fleurs simples ou doubles de 2,5 à 5 cm, dans les tons de rouge, de rose et de blanc. La plupart des types poussent de 7,5 à 15 cm et dont les hampes florales émergent de la couronne de feuilles vert foncé.

■ **CULTURE ET SOINS** Elle pousse bien au soleil et accepte l'ombre partielle. Il est préférable que le sol soit riche en humus, humide mais bien drainé. Espacez les plants de 15 cm. Rustique à -40°C, mais les plants ont besoin d'un paillis d'hiver là où il fait -28°C et plus froid.

■ **PROPAGATION** Divisez chaque année au début de l'automne. Semez à l'extérieur, tard au printemps, pour obtenir une floraison l'année suivante ou commencez à l'intérieur, au milieu de l'hiver.

■ **INSECTES NUISIBLES ET MALADIES** Rarement envahie.

BERGENIA

PLANTE DES SAVETIERS

CULTIVÉE À LA FOIS POUR son feuillage et ses fleurs printanières, la plante des savetiers peut être placée sur le devant des plates-bandes et des bordures, massée le long des sentiers ou employée comme un revêtement de sol sous les arbustes et les arbres. Les feuilles semblables au chou sont souvent persistantes, devenant parfois de couleur bronze en hiver et utilisées dans les arrangements floraux. Les groupes de petites fleurs roses, magenta ou blanches naissent sur de grosses tiges sans feuilles; elles doivent être enlevées lorsque fanées. La plante pousse à 30 cm de hauteur et de large, se répandant lentement par des rhizomes rampants.

■ **ESPÈCES, VARIÉTÉS ET CULTIVARS** Les deux espèces les plus largement cultivées sont la bergénie aux feuilles en cœur (*B. cordifolia*) et la bergénie légèrement plus petite, fleurissant en hiver (*B. crassifolia*). Il existe un certain nombre d'excellents cultivars hybrides.

■ **CULTURE ET SOINS** Elle pousse bien à l'ombre légère, dans un climat très chaud ou en plein soleil, dans un endroit plus frais si le sol est conservé humide; autrement, elle accepte une grande variété de sols. Un sol plus riche nécessitera que les plants soient divisés aux trois ou quatre ans. Espacez les plants de 30 cm. Un paillis d'hiver peut être bénéfique dans les endroits où la température baisse à -28°C et plus.

■ **PROPAGATION** Divisez au printemps ou à l'automne, en laissant à chaque partie un morceau de rhizome de 7,5 à 10 cm. Semez.

■ **INSECTES NUISIBLES ET MALADIES** Limaces et escargots.

  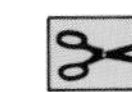  

Bergenia 'ABENDGLUT' ('EVENING GLOW')

BRUNNERA

BUGLOSSE

Des feuilles rugueuses en forme de cœur et des fleurs bleues semblables aux myosotis composent cette plante utile, nécessitant peu d'entretien et vivant longtemps dans une bordure, une rocaille ou comme revêtement de sol sous les arbres et les arbustes. Les touffes bien ordonnées poussent à une hauteur de 30 à 45 cm. Des variétés de *B. macrophylla* (répertoriées aussi sous le nom de *Anchusa myosotidiflora*) possédant un nom sont disponibles, y compris les formes aux feuilles versicolores. Celles-ci doivent être propagées par division; elles ne réussissent pas bien par ensemencement. Enlevez toutes les feuilles d'un vert uni qui se trouvent parmi les feuilles versicolores, car elles prendraient le dessus.

■ **CULTURE ET SOINS** Même si elle accepte le plein soleil et une grande variété de sols, la buglosse réussit mieux dans une terre humide mais bien drainée, riche en humus et à l'ombre partielle. Enlevez les hampes florales fanées ou les laisser si l'ensemencement spontané est désiré. Espacez les plants de 30 cm. Rustique à -40°C.

■ **PROPAGATION** Rarement nécessaire, mais la division peut se faire au printemps ou à l'automne. Semez.

■ **INSECTES NUISIBLES ET MALADIES** Limaces.

Brunnera macrophylla

CAMPANULA

CAMPANULE

Les campanules sont un groupe de vivaces sans prix, car elles offrent un incroyable assortiment de plants aux dimensions et aux formes variées. On les utilise dans les plates-bandes, les bordures ou pour orner les murs et les rocailles. La couleur prédominante de cette fleur est le bleu, bien qu'il en existe en blanc, rose et pourpre. Les plus grandes font de magnifiques fleurs coupées. La plupart des types paraissent mieux lorsqu'on les plante par groupes de trois. Enlevez les fleurs fanées régulièrement. Un léger paillis de feuilles de chêne ou de branches de conifères contribuera à protéger la couronne des plantes contre les attaques de l'hiver.

■ **ESPÈCES, VARIÉTÉS ET CULTIVARS** La campanule des Carpathes (*Campanula carpatica*) pousse à une hauteur de 20 à 30 cm et forme de larges grappes rampantes de petites feuilles en forme de cœur. Les fleurs en forme de coupe, de 2,5 à 5 cm de largeur et de couleur bleu violet ou blanche vivent tout l'été sur des tiges en fil de fer. Plantez à une distance de 25 cm. Démarrez par ensemencement ou divisez au printemps. Rustique à -40°C. Du début au milieu de l'été, la campanule agglomérée (*C. glomerata*) pousse de 30 à 90 cm de hauteur avec des grappes de 2,5 cm de fleurs pourpres ou blanches à l'extrémité de tiges verticales. Le feuillage est grossier et chevelu. Espacez les plants de 60 cm et divisez aux deux ans. Ils tolèrent un sol mouillé. Cette plante peut devenir envahissante si elle pousse à l'ombre. Rustique à -40°C. La campanule à fleurs laiteuses (*C. lactiflora*) pousse en été de 90 cm à 1,50 m de hauteur, ornée de fleurs en forme de cloche, bleu pâle, bleu violet, roses ou blanches sur une longue hampe rigide. Il peut s'avérer nécessaire de la fixer à un tuteur. Elle est une des campanules les plus faciles à cultiver. Espacez les plants de 30 à 45 cm. Rustique à -28°C.

Une superbe campanule (*C. latifolia*) forme des grappes impressionnantes de feuilles grossières et pousse à une hauteur de 90 cm à 1,20 m sans nécessiter pour autant de tuteurage. Elle tolère mieux que la plupart des autres variétés l'ombre légère et un sol humide. Les fleurs de 5 cm fleurissant à l'été sont de couleur bleu pourpre ou blanche. La plante se réensemence automatiquement. Rustique à -34°C. La campanule bisannuelle à grosses fleurs (*C. medium*) a la forme populaire d'une tasse et de sa soucoupe, la *C. m.* var. *calycanthema* est la plus attrayante des campanules. Elle fleurit en été, mesure de 5 à 7,5 cm, peut être simple ou double, blanche, pourpre, bleue ou rose, sur des tiges de 38 à 75 cm de hauteur. Espacez les plants de 30 cm. Rustique à -34°C. La campanule à fleurs de pêcher (*C. persicifolia*) forme des grappes de feuilles étroites avec des hampes florales de 60 à 90 cm de hauteur. Il y a de nombreux cultivars avec des fleurs

Campanula lactiflora

de 2,5 à 5 cm dans les tons de bleu ou de blanc, à simple ou double cloche. Divisez les plants au printemps à tous les deux ou trois ans en les espaçant de 45 cm. Si désiré, les laisser s'acclimater au jardin. Rustique à -34°C. La campanule de Serbie (*C. poscharskyana*) est vigoureuse, résistante à la sécheresse. C'est une plante qui s'étend, formant de grandes et longues touffes de 15 à 30 cm de fleurs de 2,5 cm en forme de cloche. Elles sont de couleur bleu lavande et durent tout l'été. Elles peuvent devenir envahissantes. Divisez au printemps ou semez, en espaçant les plants de 30 cm. Rustique à -40°C. La jacinthe sauvage aussi connue comme la campanule d'Écosse (*C. rotundifolia*) forment de délicates touffes de 15 à 30 cm de hauteur. Les hampes florales élancées portent, durant tout l'été, des fleurs en forme de cloche bleu lavande ou blanches de 2,5 cm. Les plants s'autoensemencent facilement. Divisez au printemps ou commencez avec des semences, en plaçant les plants à une distance de 20 à 30 cm. Rustique à -40°C.

■ **CULTURE ET SOINS** En général, elle est facile à cultiver et s'adapte bien. À moins d'indication contraire, elle s'épanouit non seulement en plein soleil, mais aussi à l'ombre légère, surtout dans un climat chaud. Le sol de prédilection est riche en humus et humide mais bien drainé. La plupart des types sont à leur meilleur lorsque plantés en groupes de trois. Enlevez régulièrement les fleurs fanées pour favoriser une floraison répétitive. Un paillis léger de feuilles de chêne ou de rameaux de conifères aidera à protéger les couronnes des plantes contre les rigueurs de l'hiver.

■ **PROPAGATION** Plantez les graines des types bisannuels chaque année. Les espèces peuvent être démarrées à partir de semences. La plupart des variétés possédant un nom doivent être cultivées à partir de boutures ou par division au printemps, parce qu'elles ne poussent pas naturellement à partir de semences. La majorité des campanules nécessitent une division seulement une fois tous les trois ou quatre ans, si c'est vraiment nécessaire.

■ **INSECTES NUISIBLES ET MALADIES** Limaces, escargots, aphis, thrips. La maladie de la rouille s'installe sur les campanules des Carpathes, les campanules à fleurs laiteuses et celles à fleurs de pêcher. On peut trouver des taches sur les campanules à grosses fleurs et celle à fleurs de pêcher. La couronne pourrira si l'eau demeure autour des racines.

Campanula medium

Centaurea macrocephala

CENTAUREA

CHARDON BÉNIT, CENTAURÉE VIVACE

TROIS ESPÈCES DE CHARDON BÉNIT sont particulièrement attirantes dans le jardin de vivaces et supportent bien la négligence du jardinier. Chacune possède des fleurs fortement colorées, en forme de chardons ou frangées, excellentes en fleurs coupées.

■ **ESPÈCES, VARIÉTÉS ET CULTIVARS** La centaurée blanchâtre (*C. hypoleuca* aussi nommée *C. dealbata*) fleurit longtemps au cœur de l'été de toutes ses fleurs de 5 cm d'un rouge violet vif et blanc au centre. Elle se multiplie rapidement et pousse jusqu'à 60 cm munie de feuilles sommairement découpées, vert foncé sur le dessus et blanc duveteux en dessous. Rustique à -40°C. La centaurée géante jaune (*C. macrocephala*) attire les papillons et fleurit pendant une courte période au milieu de l'été, portant des fleurs jaune brillant de 7,5 cm, utiles lorsque coupées, fraîches ou séchées. Les plants spectaculaires de 1,20 m ont de grandes feuilles rugueuses et font un bon spécimen de plante. Rustique à -40°C. Le houstonia de montagne ou centaurée des montagnes (*C. montana*) possède des fleurs de 7,5 cm, bleu violet foncé tard au printemps ou tôt à l'été. Les variétés blanches ou rose foncé sont disponibles. Les plantes poussent jusqu'à 60 cm et sont agrémentées de feuilles duveteuses gris argent, elles se répandent rapidement par ensemencement spontané ou par leurs tiges souterraines. Elles sont excellentes pour un jardin en forme de pré ou pour remplir l'espace parmi des fleurs hâtives. Rustique à -34°C.

■ **CULTURE ET SOINS** Elles poussent facilement en plein soleil et dans un sol moyen et bien drainé, avec un espacement de 45 cm.

■ **PROPAGATION** Divisez au printemps tous les trois ans.

■ **INSECTES NUISIBLES ET MALADIES** Parfois ennuyées par la rouille à la fin de l'été; rabattez les plantes au sol.

   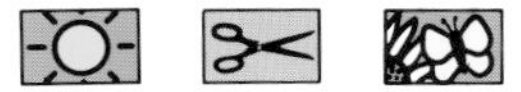

CENTRANTHUS

VALÉRIANE ROUGE, ANTHYLLIDE, CLÉS DU PARADIS

LA VALÉRIANE ROUGE (*C. ruber* parfois nommée *Kentranthus ruber* ou *Valeriana ruber*) pousse facilement, surtout dans un endroit où l'été est frais, et fleurit pendant presque tout l'été. Les grandes touffes voyantes de petites fleurs odoriférantes rouges, roses ou blanches fleuriront encore si les tiges fanées sont coupées. Elles font d'excellentes fleurs coupées et attirent les papillons. La plante emmêlée pousse jusqu'à 90 cm et ses feuilles sont bleues ou gris vert. Bien que ne vivant pas longtemps, la valériane rouge se cultive facilement et la plante s'autoensemence sans difficulté, à l'exception du type aux fleurs blanches. Elle réussit mieux si elle pousse vers le centre d'une bordure de vivaces, le long d'un mur de pierres et dans une rocaille.

■ **CULTURE ET SOINS** Elles poussent dans un sol moyen, bien drainé, en plein soleil jusqu'à l'ombre partielle. Dans un sol pauvre, les plantes seront plus courtes; dans une terre mal drainée, elles ne survivront probablement pas à l'hiver. Espacez les plants de 30 à 45 cm. Rustique à -28°C.

■ **PROPAGATION** Divisez au printemps à tous les trois ou quatre ans. Bouturez les tiges tôt à l'été. S'autoensemence.

■ **INSECTES NUISIBLES ET MALADIES** Rarement ennuyées.

Centranthus ruber

Cerastium tomentosum

CERASTIUM

CÉRAISTE TOMENTEUX

D'ÉPAIS TAPIS DE FEUILLAGE GRIS argenté à texture fine et d'aspect duveteux, piqués de fleurs en forme d'étoile d'un blanc pur font du céraiste tomenteux (*C. tomentosum*) un choix populaire pour garnir les murs de pierres, les rocailles, les bordures ou comme revêtement de sol. La plante pousse à 15 cm et s'étend à 60 cm pour devenir envahissante. Des masses de fleurs de 18 mm couvrent la plante au début de l'été.

■ **ESPÈCES, VARIÉTÉS ET CULTIVARS** Quelques variétés sont disponibles, y compris le 'Silver Carpet'.

■ **CULTURE ET SOINS** Elle pousse en rampant, en plein soleil et dans un sol de jardin allant de pauvre à moyen; un bon drainage est essentiel. Taillez la plante légèrement après la floraison pour prévenir l'ensemencement spontané. Espacez les plants de 30 cm. Rustique à -40°C.

■ **PROPAGATION** Divisez au printemps ou à l'automne. Prenez des boutures de bois mou à l'été, après la floraison. Semez.

■ **INSECTES NUISIBLES** Rarement attaquée, mais le feuillage peut devenir moins joli à l'automne.

Chrysanthemum x morifolium

CHRYSANTHEMUM

CHRYSANTHÈME, MARGUERITE

LE CHRYSANTHÈME D'AUTOMNE (*C. x morifolium*) est une magnifique addition au jardin, et ce, dans ses innombrables formes, couleurs et dimensions. La plante pousse de 30 cm à 1,20 m de hauteur, sa forme peut être ronde ou grande et étroite, et elle est habituellement garnie de petites feuilles gris vert. Les fleurs de 2,5 à 15 cm, semblables à des marguerites, peuvent être simples, doubles ou pompons; certaines ont des formes spéciales décrites comme bouton, cuillère, plume ou araignée. Toutes les couleurs à l'exception du bleu sont présentes. Selon la dimension, le chrysanthème peut être employé seul, en groupe, ou massé dans les bordures, les plates-bandes et les rocailles.

■ **ESPÈCES, VARIÉTÉS ET CULTIVARS** La pyrèthre ou marguerite peinte (*C. coccineum*) possède des fleurs de 7,5 cm, simples ou doubles, semblables à la marguerite, de couleur rose, rouge ou blanche avec un centre jaune, sur une tige unique et longue, fleurissant du début au milieu de l'été. Elles font d'excellentes fleurs coupées. Les longues plantes de 30 à 90 cm ont des feuilles vert foncé semblables à de la fougère et sont à leur meilleur regroupées par trois.

La marguerite cultivée (*C. maximum*) possède des fleurs simples ou doubles de 7,5 à 12,5 cm, durant l'été, excellentes en fleurs coupées. Les longues tiges et les feuilles étroites et luisantes forment des grappes de 30 à 90 cm. Semblable à la marguerite, le chrysanthème matricaire (*C. parthenium* appelé aussi *Tanacetum parthenium* et *Matricaria parthenium*) fleurit longtemps, mesure 2,5 cm ou moins de diamètre et arbore des couleurs blanches ou jaunes. Il est simple ou double et fait une magnifique fleur coupée. La plante peut pousser jusqu'à 90 cm et se répand à moins d'être taillée lorsqu'elle atteint 30 cm. Le chrysanthème matricaire s'autoensemence facilement.

■ **CULTURE ET SOINS** Plantez les chrysanthèmes de 30 à 45 cm de distance, en plein soleil, dans un sol bien drainé, riche en humus. Les doubles types de marguerite cultivée réussissent mieux à l'ombre légère. Le chrysanthème dont on parle ici est généralement rustique à -34°C, mais les chrysanthèmes de jardin varient beaucoup en rusticité. Vous pouvez commencer de nouvelles plantes chaque année. Les chrysanthèmes de jardin se transplantent facilement; ainsi, les plantes en bourgeons ou en pleine floraison peuvent être plantées à l'automne. Si les boutures, les pousses ou les divisions sont plantées à l'extérieur au printemps, pincez les pointes de tiges qui ont de six ou huit feuilles, et ce, jusqu'au milieu de juillet; certains types, appelés coussins, ne nécessitent pas de pincement. Les plus grands types ont besoin des tuteurs. Enlevez les fleurs fanées régulièrement. Les chrysanthèmes bénéficient d'un léger paillis d'été pour conserver le sol humide et un paillis d'hiver pour les protéger.

■ **PROPAGATION** Divisez les chrysanthèmes de jardin au printemps, chaque année, les marguerites peintes aux quatre ans et les marguerites cultivées aux deux ou trois ans. Les marguerites peintes et cultivées ainsi que le chrysanthème matricaire sont semés. Bouturez au printemps ou en été.

■ **INSECTES NUISIBLES ET MALADIES** Tétranyque; aphis; moisissure; rouille; flétrissure vertillium; jaunisse; taches sur les feuilles; insectes perforants; nématodes; adèle. Les espèces autres que le chrysanthème de jardin sont rarement attaquées.

Chrysanthemum parthenium 'ULTRA DOUBLE WHITE'

Chrysogonum virginianum 'MARK VIETTE'

CHRYSOGONUM

CHRYSOGONUM

LE CHRYSOGONUM (*C. virginianum*) pousse à 10 ou 15 cm de hauteur, ses feuilles sont pointues et délicates et ses fleurs jaune doré de 4 cm sont en forme d'étoile. Dans un climat tempéré, les feuilles sont persistantes. Elles varieront de douces à chevelues et de vert foncé à gris vert.

■ **CULTURE ET SOINS** Il pousse mieux à l'ombre légère ou complète, la floraison dure tout l'été, surtout dans un climat plus frais ou si le sol demeure également humide et bien drainé. Semez ou bouturez les tiges; le chrysogonum est un très bon revêtement de sol, il se retrouve dans les bordures, comme accent dans un jardin ombragé de fleurs sauvages ou dans une rocaille; il n'est pas envahissant. Plantez à 30 cm de distance, dans un sol riche en humus, humide et bien drainé. Rustique à -29°C.

■ **PROPAGATION** Divisez au printemps ou à l'automne.

■ **INSECTES NUISIBLES ET MALADIES** Rarement attaqué.

CIMICIFUGA

CIMICAIRE

C'EST UNE PLANTE GRACIEUSE, qui a de l'allure et qui ne demande pas beaucoup de soin. Idéale à l'arrière d'une bordure ombragée, parmi les arbustes, le long d'un plan d'eau ou dans une clairière, la cimicaire donne de grandes plantes ouvertes. De longues et minces hampes florales blanches émergent au milieu de l'été de feuilles vert foncé, profondément coupées et divisées.

■ **ESPÈCES, VARIÉTÉS ET CULTIVARS** Le cierge d'argent (*Cimicifuga racemosa*) pousse jusqu'à 1,80 m et arbore des fleurs blanc crème. La cimicaire Kamchatka (*C. simplex*) présente, à l'automne, des fleurs blanches arquées, un feuillage de texture fine et pousse jusqu'à 1,20 m.

■ **CULTURE ET SOINS** Elles vivent longtemps lorsque bien établies et s'épanouissent mieux à l'ombre légère, mais endurent à la fois le plein soleil et l'ombre complète. Le sol devra être profond, humide, riche en humus et bien drainé. Les hampes florales pourront nécessiter des tuteurs. Espacez les plants de 60 cm et enfoncez le rhizome à 2,5 cm. Il faut de la patience et attendre quelques années avant que la plante ne fleurisse. Rustique à -40°C.

■ **PROPAGATION** Divisez au printemps seulement si des plants supplémentaires sont nécessaires. Semez à l'extérieur aussitôt que les graines sont mûres.

■ **INSECTES NUISIBLES ET MALADIES** Rarement attaquées.

Cimicifuga racemosa

CLEMATIS

CLÉMATITE

ELLE EST PLUS SOUVENT CONSIDÉRÉE comme une vigne, mais il existe quelques types de vivaces en forme d'arbuste, qui sont faciles à cultiver et vivent longtemps. La clématite est inhabituelle en ceci que ses fleurs n'ont pas de pétales, mais plutôt des sépales qui ressemblent à des pétales. La plupart des types ont des graines en forme de plume presque aussi jolies que les fleurs. Celles-ci et les graines peuvent servir d'arrangements floraux.

■ **ESPÈCES, VARIÉTÉS ET CULTIVARS** Originaire de Chine, la clématite tubaire (*C. heracleifolia*) forme une masse de 90 cm de hauteur comprenant des larges feuilles rugueuses et velues et des hampes florales bleues, odoriférantes, ressemblant à la jacinthe à la fin de l'été.

La croissance de la clématite solitaire (*C. integrifolia*) est étendue et grimpe de 60 cm à 1,20 m, munie de feuilles aux veines proéminentes et de fleurs lavande ou bleu violet, en forme de cloche, apparaissant au milieu de l'été. Une hybride *C. x eriostemon* 'Hendersonii' est semblable mais avec des fleurs plus grandes, bleu indigo.

La clématite de sol (*C. recta*) possède des tiges minces et serpentines poussant de 60 cm à 1,50 m de longueur et arborant des feuilles divisées. Au début de l'été, la plante est couverte de masses de fleurs blanches odoriférantes de 2,5 cm, en forme d'étoiles.

■ **CULTURE ET SOINS** Chacune de ces clématites pousse bien en plein soleil et à l'ombre légère, dans un sol humide et bien drainé, riche en humus. Un paillis de 5 cm de compost ou de fumier bien pourri, en été, maintiendra la fraîcheur requise du sol. Il faut faire attention aux racines fragiles lorsqu'on cultive autour de la plante. Un léger tuteurage est habituellement nécessaire, surtout avec la clématite de sol, ou alors on laisse la plante culbuter pardessus les haies ou les plates-bandes surélevées, les murs ou d'autres plantes. Rabattez la plante à 10 ou 15 cm à la fin de l'automne ou au début du printemps. Espacez de 45 cm. Rustique à -34°C.

■ **PROPAGATION** Divisez au printemps. Bouturez à l'été.

■ **INSECTES NUISIBLES ET MALADIES** Limaces; aphis; perce-oreilles; insectes perforants; cantharide; insectes de flétrissure de plante; nématode; moisissure poudreuse; flétrissure de la clématite; taches sur la feuille.

  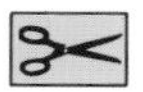

Clematis integrifolia 'COERULA'

Coreopsis verticillata 'MOONBEAM'

COREOPSIS

CORÉOPSIS

LES FLEURS JAUNE SOLEIL DU CORÉOPSIS, semblables à celles de la marguerite, illuminent les bordures et les jardins prairie durant la plus grande partie de l'été, surtout si les fleurs fanées sont coupées ou si la plante est rabattue du tiers après la première floraison. Facilement cultivée, celle-ci donne des fleurs qui durent longtemps lorsqu'elles sont coupées.

■ **ESPÈCES, VARIÉTÉS ET CULTIVARS** Le coréopsis à oreilles (*Coreopsis auriculata*) pousse à une hauteur de 30 à 60 cm et donne des fleurs jaune doré de 2,5 à 5 cm. Le coréopsis à grandes fleurs (*C. grandiflora*) possède de minces feuilles chevelues sur un plant de 30 à 60 cm; les fleurs à longues tiges sont de 5 à 7,5 cm. Il fleurit librement et accepte un sol sec, mais ne vit pas longtemps tout en s'autoensemençant facilement. Le coréopsis en forme de lance (*C. lanceolata*) est semblable, mais vit plus longtemps. Le coréopsis à feuilles verticillées (*C. verticillata*) tolère la sécheresse et s'étend lentement par tiges souterraines; il pousse de 30 à 75 cm avec de très minces feuilles en forme de ficelles et donne des masses de fleurs de 5 cm.

■ **CULTURE ET SOINS** L'espèce a besoin de soleil, mais le coréopsis à feuilles verticillées et celui à oreilles peuvent tolérer une ombre légère. Le sol peut être moyen mais bien drainé. Espacez les plants de 30 cm. Rustique à -34°C.

■ **PROPAGATION** Divisez au printemps, aux trois ou quatre ans, à l'exception du *C. grandiflora*, qui doit être semé chaque année. Tous les types peuvent être semés.

■ **INSECTES NUISIBLES ET MALADIES** Moisissure poudreuse sur tous à l'exception du coréopsis à feuilles verticillées; taches sur les feuilles; rouille; puces; coléoptères rayés.

  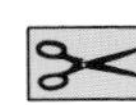 

DELPHINIUM

PIED-D'ALOUETTE

LE PIED-D'ALOUETTE EST UNE PLANTE classique des bordures de vivaces et une des plus spectaculaires, mais elle a aussi ses problèmes. Elle possède de longues hampes florales le plus souvent dans les tons de bleu ou de pourpre. La plante mesure de 45 cm à 1,80 m de hauteur. Elle réussit le mieux dans un climat frais et humide, mais il est possible de la cultiver dans d'autres endroits si on est moins exigeant envers elle.

■ **ESPÈCES, VARIÉTÉS ET CULTIVARS** Plusieurs variétés hybrides de pied-d'alouette chandelle (*D. elatum*), y compris les doubles, ont été développées et poussent jusqu'à 1,80 m. Chaque fleur de ces hybrides peut avoir 2,5 à 7,5 cm de diamètre, dans des tons de blanc, de rose, de lavande, de bleu, de violet et de pourpre. Enlevez toutes les pousses, à l'exception de trois ou cinq, de façon à produire de plus grandes tiges et fleurs.

Un croisement des hybrides de *D. elatum* et de *D. grandiflorum* avec d'autres espèces ont produit la variété populaire 'Connecticut Yankee' qui atteint une hauteur de 60 à 75 cm, avec des branches emmêlées, et les hybrides 'Bellamosa' et Belladonna', poussant de 90 à 120 cm pendant une longue floraison.

Le delphinium de Chine (*D. grandiflorum*) est une vivace de courte durée, souvent considéré comme une annuelle ou une bisannuelle, mais il fleurit la première année s'il est semé tôt. Il pousse de 30 à 60 cm, est orné de feuilles finement divisées et porte des hampes florales ouvertes bleues, pourpres ou blanches, en forme d'entonnoir.

■ **CULTURE ET SOINS** Il pousse bien en plein soleil et à l'ombre légère, dans un sol légèrement alcalin, humide et bien drainé, riche en humus. Étendre quelques centimètres de paillis de compost ou de fumier bien pourri, en été, pour garder les racines fraîches et humides. Fertilisez le plant au printemps et encore au début de l'été avec du 5-10-10. Plantez des tuteurs suffisamment longs pour entrer jusqu'à 30 cm dans le sol et atteindre les deux tiers de la hampe florale; attachez à intervalles de 30 cm. Si possible choisir un côté protégé des vents forts. Espacez de 30 à 45 cm les types plus petits et de 60 à 75 cm les plus grands. Coupez les tiges des fleurs fanées juste sous la fleur pour stimuler une autre floraison. Rabattez au sol toutes les tiges, à l'automne. Rustique à -40°C.

■ **PROPAGATION** Divisez au printemps, tous les trois ou quatre ans. Bouturez la base au printemps. Semez à l'extérieur, à la fin de l'été aussitôt que les graines sont mûres ou entreposez, dans un sac en plastique scellé, au réfrigérateur et semez tôt au printemps, à l'intérieur ou à l'extérieur à la fin du printemps.

Delphinium HYBRIDES

■ **INSECTES NUISIBLES ET MALADIES** Limaces; escargots; mites; aphis; pourriture; moisissure poudreuse; virus; taches sur les feuilles; botrytis.

 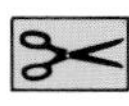 

DIANTHUS

ŒILLET

LE PARFUM DÉLICIEUX, ÉPICÉ, des œillets les ont rendus précieux depuis des siècles, à la fois au jardin et en fleurs coupées. Les fleurs sont habituellement dans des nuances de rose, de rouge ou de blanc, parfois avec un centre contrasté. La fleur est simple à cinq pétales ou à moitié double ou double avec plusieurs pétales ou enfin avec des pétales frangés ou dentés. La plupart des types ont un feuillage foncé ou gris vert, semblable au gazon qui forme des touffes ou des tapis au sol. Ils s'adaptent facilement aux rocailles, aux allées et aux murs et sont parfaits dans les bordures. Leur hybridation est facile, les cultivars sont nombreux, mais la confusion existe quant aux noms qui leur sont propres.

■ **ESPÈCES, VARIÉTÉS ET CULTIVARS** L'œillet d'Allwood (*Dianthus x allwoodii*) forme un grand groupe diversifié possédant plusieurs excellentes variétés pour le jardin. Les touffes de feuillage bleu vert poussent à 30 cm et les fleurs sont des œillets miniatures de 5 cm de diamètre, simples, à demi doubles ou doubles.

Le doux williams (*D. barbarus*) est magnifique pour créer des masses de couleurs et doit être considéré comme une vivace à vie éphémère ou une bisannuelle, mais il se reproduit facilement et la plante se retrouve dans le jardin pendant de longues années. Il pousse jusqu'à 30 à 45 cm, avec des feuilles vert foncé. Les tiges solides portent des grappes plates ou rondes de 7,5 à 15 cm de fleurs nombreuses mesurant un diamètre de 12 mm à 2,5 cm, versicolores, mais seulement légèrement odoriférantes.

Dianthus deltoides 'ZING ROSE'

Dianthus plumarius

L'œillet deltoïde (*D. deltoides*) croît seulement de 15 cm, formant des tapis étendus de feuilles luisantes à demi persistantes. Les fleurs simples du début de l'été ont moins de 2,5 cm de diamètre. Le délicat œillet cheddar (*D. gratianopolitanus*) forme des tapis bien ramassés, propres, de feuilles bleu gris de 15 cm de hauteur. La floraison se fait surtout au début de l'été, mais quelques fleurs continuent jusqu'à l'automne. Les fleurs ont rarement plus de 12 mm de diamètre.

L'œillet mignardise (*D. plumarius*) forme des monticules peu serrés ou des tapis de feuilles vert gris de 30 cm de hauteur. Les fleurs de 2,5 à 5 cm peuvent être simples, à demi doubles, doubles et fleurissent pendant longtemps.

L'œillet (*D. caryophyllus*) est la fleur que l'on achète chez le fleuriste. Bien qu'elle puisse être cultivée au jardin, les autres types d'œillets énumérés sont mieux adaptés au jardin.

■ **CULTURE ET SOINS** La plante demande le plein soleil et réussit mieux dans un sol sablonneux, légèrement alcalin, enrichi d'humus et bien drainé. Si le drainage est déficient en hiver la plante mourra, surtout s'il s'agit du type à croissance basse. Une protection légère est nécessaire en hiver, comme les rameaux de conifères, dans les endroits plus froids. Dans un climat chaud, il vaut mieux traiter l'œillet comme une bisannuelle. Espacez les plants de 20 à 30 cm. Enlevez les fleurs fanées régulièrement pour prolonger la floraison ou prévenir l'ensemencement spontané. Rustique à -34°C.

■ **PROPAGATION** Semez. Bouturez en été. Divisez au printemps.

■ **INSECTES NUISIBLES ET MALADIES** Pourriture des couronnes; tétranyque; aphis; limaces; taches sur les feuilles.

Dicentra spectabilis

DICENTRA

GIROFLÉE DES MURAILLES OU CŒURS-SAIGNANTS

TOUTES LES GIROFLÉES DES MURAILLES sont renommées pour leurs formes gracieuses et leurs fleurs inhabituelles; elles sont populaires dans les jardins de cottages, les rocailles et les jardins de fleurs sauvages. La majorité des types sont des plantes basses idéales pour le devant des plates-bandes ombragées ou des bordures ou dans un jardin forestier, mais il existe un type plus haut et mieux adapté pour le milieu des plates-bandes et des bordures. La giroflée des murailles peut s'autoensemencer, mais elle est rarement envahissante.

■ **ESPÈCES, VARIÉTÉS ET CULTIVARS** Le dicentre ou culottes de Hollandais (*Dicentra cucullaria*) et le dicentre canadien (*D. canadensis*) sont des fleurs blanches sauvages qui fleurissent tôt au printemps. Chez ces deux dicentres le feuillage de 25 cm à l'aspect de fougère fane après la floraison.

La giroflée des murailles à frange (*D. eximia*) et celle du Pacifique ou occidentale (*D. formosa*) sont mieux adaptées pour une bordure de vivaces légèrement ombragée. Elles forment des monticules bien ordonnés de 30 cm de hauteur, garnis d'un feuillage gris vert, en forme de plumes, et des rameaux fleuris roses, en forme de cœur, qui durent du début du printemps jusqu'au premier gel. Les deux espèces sont difficiles à distinguer. Les hybrides et les cultivars des deux espèces sont disponibles, y compris 'Bountiful', 'Adrian Bloom'. Celles-ci endurent plus facilement le soleil direct et leurs fleurs ont des nuances variées de rose et de rouge. La giroflée des murailles commune (*D. spectabilis*) forme une plante ouverte, étendue, de 60 à 90 cm de hauteur et dont les feuilles sont divisées. À la fin du printemps, les rameaux fleuris, arqués de 4 cm, portent des fleurs roses en forme de cœur. Une forme blanc pur est aussi disponible. Elle fane au milieu de l'été aussi il faut l'entourer d'autres fleurs.

■ **CULTURE ET SOINS** Elle pousse mieux à l'ombre légère ou complète, dans un sol humide et bien drainé, riche en humus. Un paillis d'été de compost ou de fumier bien pourri gardera le sol frais et humide. Espacez de 30 cm les types à croissance petite et la giroflée des murailles commune à 60 cm. Enlevez régulièrement les fleurs fanées pour prolonger la floraison. Rustique à -40°C.

■ **PROPAGATION** Divisez au printemps, immédiatement après la floraison, tous les trois ou quatre ans. Semez. Bouturez les racines.

■ **INSECTES NUISIBLES ET MALADIES** Rarement attaquée.

  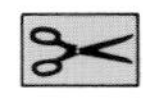 

Dictamnus alba 'PURPUREA'

DICTAMNUS

FRAXINELLE

La fraxinelle (*D. alba* appelée aussi *D. fraxinella*) est une vivace nécessitant peu d'entretien et ayant une longue vie; elle devient un arbuste de 60 à 90 cm de hauteur, garni de feuilles luisantes, vert foncé qui demeurent jolies jusqu'au gel. La plante exsude une huile volatile et si on met une allumette près des fleurs ou des graines un soir d'été sans vent, on verra un éclair de lumière. Lorsqu'on écrase les fleurs et le feuillage, une senteur de citron se dégage. De nombreuses tiges de 2,5 à 5 cm produisent, au début de l'été, des fleurs blanches qui font de bonnes fleurs coupées; ces fleurs sont suivies de cosses de graines en forme d'étoiles et sont intéressantes pour faire des arrangements floraux. Lorsqu'on touche les fleurs et les graines, on peut avoir une réaction allergique.

■ **CULTURE ET SOINS** La fraxinelle ne se transplante pas bien à cause de ses racines profondes et il lui faut plusieurs années pour être bien établie, alors elle peut endurer la sécheresse. Elle pousse en plein soleil ou à l'ombre légère, dans un sol humide, bien drainé et riche en humus. Séparez les plants de 90 cm. Rustique à -40°C.

■ **PROPAGATION** Les semences plantées à l'extérieur, à l'automne germeront le printemps suivant; les semences gardées pour le printemps germeront plus facilement si on verse dessus de l'eau bouillante. Il peut s'écouler trois ou quatre ans avant que de nouvelles plantes ne fleurissent.

■ **INSECTES NUISIBLES ET MALADIES** Rarement attaquée.

DIGITALIS

DIGITALE

Les longues tiges de la digitale, veloutée et garnie de cloches s'élevant à partir des basses grappes de feuilles, donnent un effet frappant au jardin en début d'été. Elle fait un bon accent vertical au milieu ou en arrière d'une bordure ou on peut la laisser pousser naturellement dans un jardin informel.

■ **ESPÈCES, VARIÉTÉS ET CULTIVARS** La digitale pourpre (*Digitalis purpurea*) est une bisannuelle de 1,20 m ou plus grande, garnie de fleurs de 5 cm, blanches ou dans des tons de rose ou de pourpre; la plante s'ensemence spontanément avec facilité. La digitale hybride 'Merton' (*D. x mertonensis*) est vivace, ses fleurs roses ou rouges s'épanouissent sur des hampes hautes de 90 cm. La digitale à grandes fleurs (*D. grandiflora* ou *D. ambigua*) est une vivace de 5 à 7,5 cm aux fleurs jaune crème tachetées de brun sur des tiges de 90 cm. Les fleurs de la digitale jaune (*D. lutea*) sont blanches ou jaunes pâles sur des tiges de 30 à 60 cm.

■ **CULTURE ET SOINS** Elle pousse mieux dans un sol humide, bien drainé et riche en humus, au soleil ou à l'ombre partielle. Enlevez les tiges de fleurs fanées si on ne veut pas d'ensemencement spontané; ceci peut aussi stimuler une floraison nouvelle. Espacez les plants de 30 à 45 cm. Rustique à -34°C. Un paillis d'hiver fait de rameaux de conifères est utile là où il y a un peu de neige.

■ **PROPAGATION** Divisez au printemps, après la floraison. Semez à l'extérieur tard en été, pour avoir des fleurs l'été suivant.

■ **INSECTES NUISIBLES ET MALADIES** Taches sur les feuilles; moisissure; pourriture; aphis; coléoptères; cochenilles des serres.

Digitalis purpurea

Doronicum caucasicum

DORONICUM

DORONIC

Le doronic (*Doronicum caucasicum* aussi appelé *D. cordatum*) atteint 30 à 45 cm de hauteur en touffes nettes de feuilles vert luisant, en forme de cœur, et qui s'étendent. C'est une bonne plante à installer au devant d'une bordure, dans une rocaille ou à mettre parmi les bulbes printaniers et les arbustes. À la fin du printemps ou au début de l'été, les plantes sont couvertes de fleurs jaunes de 5 cm semblables à la marguerite. Elles durent longtemps comme fleurs coupées, mais se ferment la nuit. Le doronic devient dormant à la fin de l'été, il faut donc le combiner à d'autres plantes qui l'entoureront.

■ **CULTURE ET SOINS** Un sol humide et bien drainé, riche en humus. Le plein soleil ou une ombre légère. Espacez de 30 cm. Rustique à -34°C.

■ **PROPAGATION** Divisez aux quatre ans, très tôt au printemps ou tard en été. Semez.

■ **INSECTES NUISIBLES ET MALADIES** Moisissure; aphis; coléoptères; cochenilles des serres.

ECHINACEA

ÉCHINACÉE

Cette fleur sauvage fleurit en été, demande peu d'entretien et est excellente lorsqu'elle est regroupée de façon informelle ou comme unité remarquée dans le milieu ou à l'arrière d'une bordure. L'échinacée pourpre pousse de 60 cm à 1,20 m de hauteur, sa tige et ses feuilles sont rugueuses et chevelues. Les fleurs, sur des tiges de 10 à 15 cm, ressemblent à la marguerite et fleurissent pendant une longue période. Le cône ou centre de la fleur est brun orangé et les rayons ou pétales sont rose magenta et retombantes. Il y a aussi des fleurs blanches et d'autres cultivars de couleurs variées. Les fleurs attirent les papillons, elles sont bonnes à couper et les cônes séchés ajoutent de la texture aux arrangements de fleurs séchées.

■ **CULTURE ET SOINS** La plante vit longtemps et endure la sécheresse, elle pousse bien dans un sol sablonneux, riche en humus et bien drainé; elle accepte le plein soleil ou l'ombre légère. Le tuteurage n'est pas nécessaire excepté dans un sol très riche. Enlevez les fleurs fanées régulièrement pour prolonger la floraison. Plantez à une distance de 45 cm. Rustique à -40°C.

■ **PROPAGATION** Divisez tous les quatre ans, tôt au printemps. Semez, mais les plantes varient.

■ **INSECTES NUISIBLES ET MALADIES** Coléoptères; moisissure.

  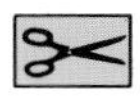   

Echinacea purpurea

Echinops ritro

ECHINOPS

CHARDON

LE CHARDON ATTIRE L'ŒIL PAR son aspect inusité. Il convient bien au milieu ou à l'arrière d'une plate-bande ou d'une bordure, comme unité parmi les arbustes ou dans un jardin prairie; il est aussi populaire dans les arrangements floraux frais ou séchés. Pour le sécher, il faut le couper avant l'épanouissement et le suspendre la tête en bas. Les grappes de petites fleurs de 2,5 à 5 cm bleu acier naissent sur des tiges qui s'embranchent. Elles fleurissent pendant des mois en été et attirent les abeilles le jour et les phalènes le soir. Le véritable nom scientifique de la plante n'est pas clairement établi, mais la plupart sont vendues comme *Echinops ritro* ou *E. humilis*. La plante pousse à une hauteur de 90 cm à 1,50 m et ses feuilles vert foncé ont l'aspect du chardon, avec un dessous blanc duveteux.

■ **CULTURE ET SOINS** Il pousse facilement en plein soleil, dans presque tout genre de sol et accepte la chaleur et la sécheresse lorsqu'il est bien établi, parce que ses racines sont profondes. Le tuteurage peut être nécessaire si le sol est riche. Espacez de 45 à 60 cm. Rustique à -34°C.

■ **PROPAGATION** Divisez tôt au printemps, si nécessaire. Bouturez avec les racines. Semez, mais les plantes varient.

■ **INSECTES NUISIBLES ET MALADIES**
Coléoptères; pourriture de la couronne.

ERIGERON

VERGERETTE

LA VERGERETTE RESSEMBLE À L'ASTER avec ses délicates fleurs, semblables à la marguerite, de 5 cm et aux couleurs bleue, rose ou blanche avec un centre jaune. Elle fleurit du début au milieu de l'été. Elle fait d'excellentes fleurs coupées.

■ **ESPÈCES, VARIÉTÉS ET CULTIVARS** Cette plante nécessite peu d'entretien. Les meilleures vergerettes sont les hybrides variées, y compris 'Quakeress' lavande, 'Gaiety' rose vif et 'Felicity' rose pâle. La plante est touffue, mesure de 45 à 75 cm de hauteur, et possède des feuilles vertes luisantes. Les types courts peuvent être plantés dans les rocailles. Dans un jardin de vivaces, elle est à son meilleur lorsqu'elle est regroupée par trois au moins; on peut la laisser s'acclimater dans un jardin prairie, car cette plante s'ensemence spontanément.

■ **CULTURE ET SOINS** Le meilleur sol sera sablonneux et bien drainé. Dans les régions aux étés frais, la vergerette aime le plein soleil, mais supportera les températures plus chaudes si elle est dans l'ombre légère. Espacez de 30 à 45 cm. Enlevez les fleurs fanées régulièrement. Rustique à -23°C.

■ **PROPAGATION** Divisez ou faire des boutures de la base tôt au printemps. Semez.

■ **INSECTES NUISIBLES ET MALADIES**
Taches sur les feuilles; moisissure; rouille; aphis.

Erigeron

Eryngium HYBRIDE

ERYNGIUM

PANICAUT

Le panicaut, haut de 60 cm à 1,20 m, est frappant et ressemble au chardon; son feuillage bleu gris est piquant et ses fleurs blanches ou tirant vers le pourpre, de 2,5 cm en forme de cône, sont entourées d'une collerette de feuilles. Les tiges de fleurs estivales s'embranchent et sont excellentes pour faire des bouquets frais ou séchés. La plante sert d'accent au milieu d'une plate-bande et d'une bordure fleuries, dans une rocaille ou un jardin prairie acclimaté.

■ **ESPÈCES, VARIÉTÉS ET CULTIVARS** On ne s'entend pas sur l'identification du panicaut et l'uniformité n'est pas faite sur ce qui est vendu.

Le panicaut améthyste (*Eryngium amethystinum*) atteint 60 cm et arbore des feuilles veinées de blanc et des fleurs bleu pourpre; il est rustique à -40°C. Le panicaut à feuilles plates (*E. planum*) a 90 cm de hauteur et arbore de petites fleurs bleues. Le vrai panicaut maritime (*E. maritimum*) pousse à 30 cm et ses fleurs sont blanches ou bleu pâle. Le panicaut Zabel (*E. x zabelii*) atteint 60 à 75 cm et possède des fleurs bleues. Le panicaut des Alpes (*E. alpinum*) mesure 60 cm de hauteur; les fleurs ont une collerette bleue semblable à des plumes. Les deux dernières espèces tolèrent un sol argileux et une ombre légère. Le panicaut géant (*E. giganteum*) est une bisannuelle qui pousse de 60 à 90 cm et dont les fleurs sont blanc vert. Le panicaut méditerranéen (*E. bourgatii*) mesure 60 cm, a des feuilles veinées de blanc et des fleurs blanches élancées à collerette.

■ **CULTURE ET SOINS** Il a besoin d'un sol sablonneux, bien drainé et le plein soleil. Ayant la vie longue lorsqu'il est planté, il ne doit pas être dérangé. Enlevez les fleurs fanées pour prévenir l'ensemencement spontané, à moins que ce ne soit recherché. Espacez les plants de 30 à 60 cm. Rustique à -28°C.

■ **PROPAGATION** Bouturage des racines fait au printemps si c'est absolument nécessaire. Semez aussitôt que les graines sont mûres et elles germeront au printemps suivant; les jeunes plantes se transplantent facilement.

■ **INSECTES NUISIBLES ET MALADIES** Adèles; coléoptères; pourrissement; taches sur les feuilles.

Eupatorium purpureum

EUPATORIUM

EUPATOIRE, EUPATOIRE POURPRÉE

DES GRAPPES ONDOYANTES de petites fleurs dans les tons de bleu ou de rose, présentes à la fin de l'été et à l'automne, rendent ces plantes agréables pour les plates-bandes fleuries ou les bordures et les jardins prairies. L'eupatoire pourprée est particulièrement efficace lorsqu'elle est acclimatée dans un sol humide avoisinant un cours d'eau ou autour d'un marécage. Ces deux fleurs attirent les papillons et font de belles fleurs coupées.

■ **ESPÈCES, VARIÉTÉS ET CULTIVARS** L'eupatoire ou agérate rustique (*Eupatorium coelestinum*) ressemble à l'agérate annuelle par ses fleurs lavande gonflées sur un plant de 60 cm. Les feuilles plissées sont minces et dentées grossièrement. Dans un sol sablonneux la plante peut devenir envahissante.

Il y a quelques espèces d'eupatoire appelées eupatoire pourprée, comprenant l'eupatoire pourprée creuse (*E. fistulosum*), dont les tiges creuses sont de 1,80 m de hauteur avec des fleurs mauves en grappes rondes; l'eupatoire pourprée tachetée (*E. maculatum*) possède une tige tachetée poussant jusqu'à 3 m et portant des grappes ouvertes de fleurs pourpres; l'eupatoire pourprée commune (*E. purpureum*) atteint 1,80 m de hauteur et arbore de grandes grappes de fleurs roses ou pourprées.

■ **CULTURE ET SOINS** Les deux fleurs poussent facilement en plein soleil et dans une grande variété de sols allant de moyen à humide. L'ombre légère est acceptée, mais la plante fleurira moins. Espacez l'eupatoire de 45 cm et l'eupatoire pourprée de 90 cm. Cette dernière est rustique à -40°C et l'eupatoire à -28°C.

■ **PROPAGATION** Divisez au printemps, bouturez en été ou semez. L'eupatoire doit être divisée aux deux ou trois ans.

■ **INSECTES NUISIBLES ET MALADIES** Pourriture de la couronne; flétrissure; moisissure; aphis; adèles; coccidés.

EUPHORBIA

EUPHORBE

BIEN QU'IL EXISTE 1600 DIFFÉRENTES euphorbes, seulement quelques-unes ont un intérêt horticole. L'euphorbe est caractérisée par des bractées remarquables possédant de minuscules fleurs au centre. Elle répand une sève lactée qui peut causer des irritations cutanées.

■ **ESPÈCES, VARIÉTÉS ET CULTIVARS** L'euphorbe coussin (*E. epithymoides* appelée aussi *E. polychroma*) forme un monticule rond et uni de 30 cm de hauteur et de 60 cm de largeur. Les bractées qui poussent au printemps sont jaunes dorées, mesurant 2,5 cm de large et les feuilles deviennent roses à l'automne. Elle n'aime pas les climats chauds et humides. *E. griffithii* 'Fireglow' atteint 90 cm de hauteur. Les feuilles ont une nervure centrale rose pâle et des bractées rouges dans des grappes de 5 à 10 cm, tôt en été. Parce qu'elle tolère facilement un sol sec, l'euphorbe myrtille (*E. myrsinites*) est un bon choix pour agrémenter une rocaille ou un mur de pierres. C'est une plante basse et traînante cultivée surtout pour ses feuilles bleu vert qui restent sur la plante toute l'année. Les fleurs sont jaune brillant au printemps. L'euphorbe fleurie (*E. corollata*) ressemble au gypsophile et pousse à une hauteur de 60 cm. Elle est garnie de grappes relâchées avec de jolies petites bractées blanches en été; elle fait une excellente fleur coupée. Passez le ciseau à la flamme d'une chandelle pour sceller l'extrémité de la tige. Le feuillage devient rouge à l'automne.

■ **CULTURE ET SOINS** L'euphorbe vit longtemps et pousse mieux en plein soleil, dans un sol sablonneux et sec. Une ombre légère est bénéfique dans les endroits chauds. La plante s'ensemence spontanément. Espacez les plants de 30 à 45 cm. Rustique à -28°C.

■ **PROPAGATION** Elle ne se transplante pas bien, mais, si nécessaire, elle peut être divisée tôt au printemps. Semez. Bouturez.

■ **INSECTES NUISIBLES ET MALADIES** Rarement attaquée.

Euphorbia epithymoides

Athyrium filix-femina

FOUGÈRES

IMAGINEZ UN VALLON LUXURIANT rempli de fougères par un chaud jour d'été et vous comprenez tout de suite l'utilité des fougères dans le jardin. Elles sont à leur meilleur regroupées, surtout sous les arbres, le long d'un mur, entourant un plan d'eau ou sur le côté nord de la maison. Elles sont très efficaces lorsqu'on les combine avec les fleurs à bulbe qui sortent tôt au printemps. La forme de la feuille de la fougère s'appelle la fronde. La reproduction se fait par spores plutôt que par graines. Les frondes font un feuillage superbe dans les arrangements floraux.

■ **ESPÈCES, VARIÉTÉS ET CULTIVARS** L'adianthe capillaire (*Adiantum pedatum*) est considérée comme une des plus belles fougères, avec ses frondes vert vif ressemblant à de la dentelle et ses tiges noires de 30 à 45 cm de hauteur. Elle se répand lentement par rhizomes et requiert de l'ombre, un sol humide et bien drainé, riche en humus.

La fougère femelle (*Athyrium filix-femina*) pousse en couronne et donne des frondes en dentelle de 60 à 90 cm de hauteur. Elle s'accommode de sols variés et pousse à la fois au soleil et à l'ombre.

Pour donner grande allure à un endroit, la fougère autruche (*Matteuccia pensylvanica*), d'un vert vif et dont les frondes mesurent de 1,20 à 1,80 m fait un revêtement de sol efficace. Elle se répand par rhizomes et pousse bien à l'ombre légère et dans un sol moyen ou en plein soleil si le sol est bien humide.

L'onoclée sensible (*Onoclea sensibilis*) possède des frondes inhabituelles gris vert de 60 cm de hauteur et des tiges ayant des gousses porteuses de spores, qui sont recherchées dans les arrangements floraux. Elle se multiplie facilement par rhizomes, au soleil ou à l'ombre, dans un sol humide.

L'osmonde (*Osmunda cinnamomea*) atteint 1,20 à 1,80 m et ses frondes vert pâle deviennent dorées puis brunes à l'automne. Cette fougère, qui étend sa couronne, accepte un sol de jardin moyen et pousse le mieux dans un sol humide, en plein soleil ou à l'ombre légère.

La fougère royale (*O. regalis*) pousse jusqu'à 1,20 à 1,80 m et ses frondes sont remarquables et spéciales, car à leur extrémité il pousse des lances fertiles semblables à des fleurs. Un sol acide et toujours humide ainsi que l'ombre, sont nécessaires. La plante s'étend lentement à partir de la couronne.

Le délicat polypode commun persistant (*Polypodium virginianum*) se multiplie par rhizomes sur les rochers et les arbres tombés et possède des frondes de 15 à 25 cm semblables à du cuir. Il s'accommode d'un ensemble de conditions mais pousse mieux dans un sol humide et bien drainé, à l'ombre légère.

Le polystic à feuilles persistantes (*Polystichum acrostichoides*) est proche de la fougère de Boston, il est une des fougères les plus faciles à cultiver. Il s'accommode de conditions variées, une ombre légère et un sol riche en humus, humide mais bien drainé sont idéals. Il se répand lentement par rhizomes.

■ **CULTURE ET SOINS** En général la fougère pousse mieux dans un endroit ombragé où le sol est léger, humide, bien drainé, riche en humus et recouvert d'un léger paillis de compost, d'écorce ou de feuilles déchiquetées. Espacez de 30 à 75 cm. Rustique à -40°C.

■ **PROPAGATION** Divisez les types rampants en tout temps et ceux munis de couronnes lorsqu'ils sont dormants, au début du printemps ou à la fin de l'automne.

■ **INSECTES NUISIBLES ET MALADIES** Certaines fougères peuvent être incommodées par les limaces et les escargots.

Osmunda cinnamomea

Filipendula vulgaris 'FLORE-PLENO'

FILIPENDULA

FILIPENDULE

LES GRAPPES DE MINUSCULES FLEURS roses ou blanches, semblables à des plumes, et les feuilles composites vert foncé de cette plante luxuriante apportent une touche fine au jardin. Les fleurs sont bonnes à couper si on les cueille avant qu'elles ne soient complètement ouvertes.

■ **ESPÈCES, VARIÉTÉS ET CULTIVARS** La reine-des-prairies (*F. rubra*) possède de nombreuses tiges de 1,20 à 2,10 m portant à leur extrémité des grappes de fleurs roses odoriférantes. La reine des prés (*F. ulmaria*) possède des grappes de fleurs blanches odoriférantes, tôt à l'été, sur des plants de 90 cm à 1,50 m. Disposez ces deux plantes à l'arrière d'une bordure, parmi des arbustes ou à côté d'un plan d'eau. La filipendule commune (*F. vulgaris*, aussi appelée *F. hexapetala*) possède des feuilles en touffes qui collent au sol, semblables à de la fougère, et des fleurs ivoire sur des tiges de 45 à 60 cm; elle s'ensemence spontanément et facilement. Plantez sur le devant d'une bordure ou dans un jardin sylvestre.

■ **CULTURE ET SOINS** Le sol sera riche en humus, humide mais bien drainé; la filipendule accepte une certaine sécheresse. Les plantes réussissent mieux dans l'ombre légère, mais poussent en plein soleil, dans un climat nordique plus frais. Espacez la reine des prés et la reine-des-prairies de 60 cm, et la filipendule de 30 cm. Rustique à -40°C. Si aucune neige ne la couvre dans les endroits froids, un paillis de feuilles protégera les racines.

■ **PROPAGATION** Divisez au printemps. Semez.

■ **INSECTES NUISIBLES ET MALADIES** Rouille, si les plantes poussent dans un sol trop sec.

GAILLARDIA

GAILLARDE

LA GAILLARDE PRODUIT FACILEMENT des fleurs vivement colorées, semblables à la marguerite, de 7,5 à 10 cm, pendant une bonne partie de l'été. Les fleurs arborent des combinaisons variées de jaune, doré, rouge et les centres sont souvent pourpre. Les types plus longs sont propices à être coupés.

■ **ESPÈCES, VARIÉTÉS ET CULTIVARS** La gaillarde vivace commune (*G. aristata*) est une plante de 60 à 90 cm, qui s'étend, et elle possède des feuilles chevelues gris vert. Excellente pour le jardin de prairie ou le jardin sauvage, elle est un des principaux parents de plusieurs hybrides populaires.

■ **CULTURE ET SOINS** Elle a tendance à vivre peu longtemps, dans un sol fertile et humide, mais dure un peu plus, en plein soleil, dans un sol moyen à pauvre, très bien drainé, surtout en hiver. Enlevez les fleurs mortes et taillez la plante à la fin de l'été pour voir une nouvelle floraison à l'automne. Si elle ne fleurit pas, divisez au début du printemps. Espacez les plants de 15 à 45 cm. Rustique à -40°C.

■ **PROPAGATION** Divisez tôt au printemps. Bouturez la base à la fin de l'été ou les racines à l'automne et faites hiverner dans un boîtier froid. Semez.

■ **INSECTES NUISIBLES ET MALADIES** Taches sur les feuilles; moisissure poudreuse; jaunisse de l'aster; coléoptères; cloportes.

 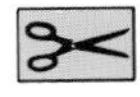  

Gaillardia HYBRIDE

Galium odoratum

GALIUM

ASPÉRULE ODORANTE

L'ASPÉRULE ODORANTE (*G. odoratum* connue aussi sous le nom de *Asperula odorata*) est un revêtement de sol pour les endroits ombragés, requérant peu d'entretien; utilisé frais, il sert de fine herbe. Les feuilles sèches servent à parfumer les boissons et les sachets servant à chasser les insectes. Les petites fleurs blanches en forme d'étoile sont éparpillées, au printemps et tôt à l'été, sur le dessus des monticules de 15 à 20 cm de petites feuilles verticillées.

■ **CULTURE ET SOINS** Elle préfère l'ombre partielle dans un sol humide mais bien drainé, riche en humus. Espacez de 30 cm. Rustique à -34°C.

■ **PROPAGATION** Divisez au printemps ou à l'automne, comme voulu, bien que ce soit rarement nécessaire.

■ **INSECTES NUISIBLES ET MALADIES** Rarement attaquée.

GERANIUM

BEC-DE-GRUE

Les vrais géraniums, et non les plantes de plates-bandes d'été du genre Pelargonium, sont de jolies vivaces arborant de délicates fleurs pastel de 2,5 à 5 cm, fleurissant souvent tout l'été. Il y a plusieurs géraniums différents pour le jardin, la plupart croissant en masses ouvertes et compactes. Le joli feuillage est rond et habituellement finement divisé et denté. Il est préférable de planter les géraniums sur le devant de la bordure ou le long d'une allée.

■ **ESPÈCES, VARIÉTÉS ET CULTIVARS** *G. x cantabrigiense* forme un tapis de feuilles vertes odoriférantes de 15 à 30 cm, qui se répandent lentement. Des fleurs rose vif éclosent à la fin du printemps et parfois pendant tout l'été.

G. endressii 'Wargrave Pink' pousse jusqu'à 60 cm et s'étend jusqu'à 90 cm. Les fleurs d'un rose chaud sont de 4 cm et vivent tout l'été dans un climat frais, mais pour une plus courte période là où il fait chaud, à moins que le sol reste uniformément humide.

Le bec-de-grue lilas est le *G. himalayense*, mais peut aussi être nommé G. *grandiflorum* ou *G. meeboldii.* Des monticules s'étendent et se combinent à des fleurs bleues aux veines pourpres, de 5 cm. Le bec-de-grue à grosses racines (*G. macrorrhizum*) est un revêtement de sol aromatique poussant jusqu'à 30 et 45 cm de hauteur. À la fin du printemps et tôt à l'été, les plantes produisent des grappes touffues de 2,5 cm de fleurs roses, magenta ou blanches.

G. maculatum arbore des fleurs roses hautes de 60 cm à croissance ouverte au printemps. Il est indiqué dans les jardins de fleurs sauvages légèrement ombragés. *G. x oxonianum* 'Claridge Druce' forme un large monticule de 60 cm de hauteur avec des feuilles gris vert et des fleurs de 5 cm, en forme de trompette, roses avec des veines plus foncées.

Le bec-de-grue rouge sang (*G. sanguineum*) forme un monticule de 30 à 45 cm de hauteur qui fleurit longtemps. Les fleurs du rose au magenta sont de 2,5 cm. Il s'adapte très bien aux différents climats et s'ensemence spontanément avec facilité. Si le sol est trop riche, il se répandra trop. Le feuillage devient rouge foncé à l'automne.

Deux espèces sont très indiquées pour la rocaille, *G. cinereum* et *G. dalmaticum.* Les deux poussent de 10 à 15 cm de hauteur et portent des fleurs lilas, magenta, roses ou blanches.

■ **CULTURE ET SOINS** Ils fleurissent mieux en plein soleil, mais dans un climat très chaud la plante pousse mieux à l'ombre légère. Un sol moyen, humide mais bien drainé est indiqué; un sol trop riche stimule une croissance rampante. Espacez de 30 cm. Rustique à -34°C.

■ **PROPAGATION** Divisez au printemps, aux quatre ans ou lorsque les touffes commencent à se détériorer. Semez pour les espèces. Bouturez à l'été.

■ **INSECTES NUISIBLES ET MALADIES** Taches sur les feuilles; moisissure; rouille; capse.

Geranium 'JOHNSON'S BLUE'

Geum 'MRS BRADSHAW'

GEUM

BENOÎTE

LA BENOÎTE FORME DES MASSES basses de feuilles vert foncé. Ses tiges minces, qui s'embranchent, portent des fleurs de 4 cm, rouges, jaunes ou orangées aux pétales ondulants et fleurissant en été. Les types poussant bas sont indiqués pour les rocailles; les plus grands font de bonnes fleurs coupées et sont mieux appréciés sur le devant des plates-bandes et des bordures.

■ **ESPÈCES, VARIÉTÉS ET CULTIVARS** *G. rivale* 'Leonard' pousse à une hauteur de 30 cm et arbore des fleurs en forme de cloche rose cuivré sur des tiges rouges. Le sol doit être humide et le lieu légèrement ombragé. Rustique à -40°C. Un certain nombre de cultivars hybrides sont de type plus grand et la plupart poussent de 45 cm jusqu'à 60 cm.

■ **CULTURE ET SOINS** Elle pousse mieux en plein soleil, dans les endroits aux étés frais, mais l'ombre légère est préférable dans les climats chauds. Le sol doit être riche en humus et humide, mais bien drainé. Un sol détrempé en hiver est catastrophique. La plante s'établit lentement et les variétés répertoriées ne devront pas être divisées avant de longues années. Espacez de 30 à 45 cm; la plante est à son avantage lorsque réunie en groupe de trois. Enlevez les fleurs fanées régulièrement pour prolonger la floraison. Les plus grandes hybrides sont rustiques à -28°C avec un paillis d'hiver léger.

■ **PROPAGATION** Divisez au printemps ou à la fin de l'été.

■ **INSECTES NUISIBLES ET MALADIES** Cloportes et tétranyque.

GYPSOPHILA

GYPSOPHILE

LES NUAGES CASCADANTS de minuscules fleurs blanches ou roses du gypsophile procurent un ajout de texture fine au jardin fleuri et aux bouquets de fleurs fraîches et séchées. Les tiges minces, en fil de fer, formant des embranchements, possèdent quelques feuilles étroites, gris vert.

■ **ESPÈCES, VARIÉTÉS ET CULTIVARS** Le *G. paniculata* vit longtemps et pousse à une hauteur de 45 à 90 cm, selon la variété, à partir de racines pivotantes épaisses et charnues qui ne se transplantent pas bien. Les rameaux de fleurs de 6 mm sont produits en été. Les plants s'alourdissent vers le haut et doivent être munis de tuteurs au début de l'été. La saison de croissance est longue, une seconde floraison est donc possible en taillant les plantes après la première. Le gypsophile rampant (*G. repens*) pousse à une hauteur de 10 à 30 cm et donne des masses de fleurs blanc rosé. Il est recommandé dans les rocailles et en cascade sur les murs.

■ **CULTURE ET SOINS** Il pousse en plein soleil, dans un sol moyen, bien drainé et alcalin. Espacez de 30 à 60 cm tôt au printemps. Plusieurs variétés porteuses d'une appellation sont greffées; plantez la greffe de 2,5 jusqu'à 5 cm sous le sol. Rustique à -34°C, il faut poser un paillis léger en hiver après que le sol ait gelé.

■ **PROPAGATION** Les meilleures sortes sont achetées comme plantes greffées. Les formes ordinaires sont cultivées à partir de semences ou de boutures.

■ **INSECTES NUISIBLES ET MALADIES** Botrytis; galle de la couronne; cicadelles.

  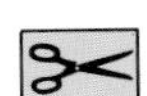  

Gypsophila paniculata 'COMPACTA-PLENA'

Helenium hoopesii

HELENIUM

HÉLÉNIE

L'HÉLÉNIE AUTOMNALE EST une grande plante, idéale au milieu ou au fond d'une bordure informelle, dans des prairies ou plantée parmi des arbustes. Elle apporte des couleurs vives en été et à l'automne. Les fleurs ressemblent à la marguerite et les pétales courbés sont jaunes, orangés ou ébène, avec des centres foncés proéminents; elles se regroupent dans des grappes qui se répandent. Les fleurs sont bonnes à couper et les plantes vivant longtemps ne sont jamais envahissantes.

■ **ESPÈCES, VARIÉTÉS ET CULTIVARS** L'hélénie automnale commune (*H. autumnale*) pousse jusqu'à une hauteur de 1,80 m et chaque fleur est de 5 cm de diamètre. L'hélénie automnale orange (*H. hoopesii*) atteint 60 cm et fleurit tôt à l'été donnant de grandes fleurs jaunes orangées ou dorées. Elle tolère l'ombre légère.

■ **CULTURE ET SOINS** Elle pousse bien en plein soleil, dans un sol humide, bien drainé et riche en humus, mais accepte un éventail de sols. Au printemps, pincez les pointes qui poussent chez les types plus grands afin que les plants soient plus courts et plus fournis. Installez des tuteurs. Espacez de 45 à 60 cm. Rustique à -40°C.

■ **PROPAGATION** Divisez au printemps, tous les deux ou trois ans. Bouturez. Des espèces poussent à partir de semences.

■ **INSECTES NUISIBLES ET MALADIES** Rouille; taches sur les feuilles; moisissure; coléoptères.

HELIOPSIS

HÉLIOPSIS

CETTE PLANTE EST VIGOUREUSE et remarquable avec son feuillage vert foncé et ses grappes abondantes de fleurs dorées, semblables aux marguerites, de 5 à 10 cm de diamètre, aux centres légèrement plus foncés et fleurissant de l'été à la fin de l'automne. Il est préférable de planter l'espèce dans un endroit où elle pourra s'acclimater par ensemencement spontané. Les cultivars hybrides sont bons pour le fond des bordures fleuries, le centre des plates-bandes ou parmi les arbustes. Les fleurs coupées durent longtemps. *Heliopsis helianthoides* varie lorsqu'elle pousse de façon sauvage, mais elle est généralement de 1,50 m de hauteur. Les hybrides sont habituellement plus courts et poussent de 60 à 90 cm.

■ **CULTURE ET SOINS** Bien qu'il résiste à la sécheresse, il pousse mieux en plein soleil, dans un sol humide et bien drainé, moyen ou riche en humus. Enlevez les fleurs séchées régulièrement pour prolonger la floraison. Espacez les plants de 60 cm. Rustique à -34°C.

■ **PROPAGATION** Divisez au début du printemps, tous les trois ou quatre ans. Semez au printemps ou en été.

■ **INSECTES NUISIBLES ET MALADIES** Aphis; coléoptères; taches sur les feuilles; moisissure; pourrissement de la tige.

Heliopsis helianthoides

Helleborus orientalis

HELLEBORUS

HELLÉBORE

MÊME S'IL NE FLEURIT PAS aussi tôt que la publicité le dit, l'hellébore est parmi les vivaces à fleurir rapidement et le temps de floraison varie du milieu de l'hiver au printemps, selon le climat. Les fleurs qui se balancent au vent durent un mois ou plus et peuvent supporter des températures froides et la neige. Sans lien de parenté à la rose, la fleur est munie de cinq sépales semblables à des pétales et d'étamines dorées proéminentes au centre. L'hellébore possède des feuilles segmentées, aux longues tiges poussant à une hauteur de 30 à 45 cm. Il peut s'ensemencer spontanément, mais ne devient jamais envahissant. Il doit être installé à un endroit où il pourra être admiré de près, comme à proximité d'une entrée. Il fait une bonne fleur coupée, si l'extrémité de la tige est scellée immédiatement par une flamme. La plante peut causer une réaction allergique à certaines personnes.

■ **ESPÈCES, VARIÉTÉS ET CULTIVARS** La rose de Noël ou hellébore noir (*Helleborus niger*) atteint 30 cm et porte des fleurs blanches de 5 à 10 cm, teintées de rose ou de vert, fleurissant du milieu de l'hiver au début du printemps et se retrouvant de une à trois sur la même tige. Le feuillage est épais, persistant et denté. Rustique à -40°C. La rose du carême (*H. orientalis*) fleurit de la fin de l'hiver jusqu'à la fin du printemps et ses fleurs de 5 cm sont crème, rose pourpre, brun marron, blanc verdâtre, parfois tachetées de rose pourpre. Cette espèce de 45 cm de hauteur peut devenir hybride facilement et plusieurs formes existent, toutes parmi les plus faciles des hellébores à cultiver. Rustique à -34°C.

L'hellébore de Corse (*H. argutifolius*, aussi répertorié sous le nom de *H. corsicus* ou *H. lividus corsicus*) possède de grandes grappes de fleurs vert pâle de 2,5 cm, fleurissant au début du printemps, sur des tiges feuillues de 30 à 60 cm. Rustique à -28°C. L'hellébore fétide ou puant (*H. foetidus*), appelé aussi pied-de-griffon, est orné de grappes de fleurs vert pâle, de 2,5 cm, bordées de pourpre lorsqu'elles vieillissent, sur des tiges feuillues de 30 à 45 cm. Rustique à -40°C.

■ **CULTURE ET SOINS** Idéalement, il a besoin de soleil en hiver et d'ombre en été, avec un sol neutre, riche en humus, humide mais bien drainé. On y arrive en le plantant sous des arbres à feuillage caduc ou parmi d'autres vivaces. Le sol ne doit pas devenir sec en été; un paillis est bénéfique. Espacez à 45 cm en enfonçant la couronne à 2,5 cm sous la surface du sol et attendre quelques années avant que la plante, dont l'espérance de vie est longue, soit acclimatée et qu'elle fleurisse. Une protection hivernale de types variés peut être utilisée, y compris un léger paillis fait de feuilles de chêne ou de rameaux de pin; on peut aussi bâtir autour de la plante une structure sur laquelle on étendra une feuille de plastique.

■ **PROPAGATION** Divisez les racines au printemps, après la floraison ou à l'automne, mais ce n'est pas recommandé. Semez aussitôt que les graines sont mûres.

■ **INSECTES NUISIBLES ET MALADIES** Limaces; taches sur les feuilles; moisissure; pourrissement.

  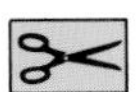

Helleborus argutifolius

Hemerocallis 'STELLA D'OR'

HEMEROCALLIS

HÉMÉROCALLE OU LIS D'UN JOUR

L'HÉMÉROCALLE EST FACILE à cultiver et s'adapte bien; aussi, elle est devenue une des plantes vivaces les plus populaires, avec ses milliers de variétés d'hybrides. Durant une longue période en été, les tiges sans feuille s'élèvent parmi la masse épaisse de feuilles arquées, semblables au gazon, et portent des grappes ouvertes de fleurs semblables à des lis, parfois odoriférantes. Chaque fleur dure seulement un jour, mais une plante peut en produire des douzaines durant une saison.

Selon sa hauteur, l'hémérocalle peut être placée devant, au milieu ou à l'arrière d'une plate-bande fleurie ou d'une bordure. Les types plus petits trouveront leur place dans la rocaille. L'hémérocalle est aussi très belle dans une bordure, poussant parmi les arbustes ou massée dans un groupe informel.

■ **ESPÈCES, VARIÉTÉS ET CULTIVARS** L'espèce originale possède des fleurs jaunes ou orangées, mais les couleurs des cultivars hybrides sont extrêmement variées, souvent avec une bande, une bordure ou un cœur contrastants. La plupart possède six pétales, certaines sont doubles et les pétales peuvent être froncés ou plissés. La dimension de la plante fleurie varie de 30 cm à plus de 1,80 m et les fleurs auront de 5 à 20 cm de diamètre. Selon le cultivar, le temps de floraison peut être à la fin du printemps, en été ou en automne et certains types fleurissent à répétition.

■ **CULTURE ET SOINS** Elle s'épanouit au soleil ou à l'ombre légère. Bien qu'elle accepte une grande variété de sols, elle réussit mieux s'il est riche en humus, humide mais bien drainé. Un arrosage supplémentaire durant les températures chaudes est recommandé, mais trop de fertilisant forcera la croissance des plants, au détriment de la floraison. Les plantes spécimen doivent être débarrassées de leurs fleurs fanées; ceci est impossible lorsque la plantation est importante. Espacez les types plus courts de 30 à 45 cm et les plus grands de 60 cm. Les types qui vont en dormance sont rustiques à -34°C. Les types persistants et à demi persistants varient en rusticité et réussissent mieux dans un climat plus chaud.

■ **PROPAGATION** Divisez des masses de racines en rhizomes, tard en été ou à l'automne, car les racines deviennent encombrées après environ quatre ou six ans. Les pousses qui émergent de la hampe florale peuvent être enlevées et plantées.

■ **INSECTES NUISIBLES ET MALADIES** Aphis; thrips; tétranyques; limaces.

HESPERIS

JULIENNE DES DAMES

LA JULIENNE DES DAMES (*H. matronalis*) est une jolie plante pour le jardin de cottage; ressemblant aux phlox, elle possède de magnifiques grappes allongées de fleurs odoriférantes lavande, pourpres, mauves ou blanches de 12 mm, épanouies de la fin du printemps au milieu de l'été. La julienne des dames fait de belles fleurs coupées. Vivace, elle vit peu longtemps, mais s'ensemence spontanément. Les plantes broussailleuses atteignent entre 60 et 90 cm et peuvent être placées dans les bordures fleuries ou dans un jardin de prairie.

■ **CULTURE ET SOINS** Elle s'épanouit mieux en plein soleil ou à l'ombre partielle, dans un sol alcalin, humide mais bien drainé. Espacez les plants de 45 cm. Enlevez régulièrement les fleurs fanées pour prolonger la floraison. Rustique à -40°C.

■ **PROPAGATION** Semez.

■ **INSECTES NUISIBLES ET MALADIES**
Moisissure; rouille; mosaïque répandue par les aphis; larves de piéride du chou.

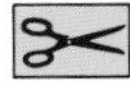

Hesperis matronalis

Heuchera sanguinea 'CHATTERBOX'

HEUCHERA

HEUCHÈRE

L'HEUCHÈRE (*Heuchera sanguinea*) apporte une touche légère et aérienne lorsqu'elle est plantée dans une rocaille, à l'avant d'une plate-bande, parmi les arbustes ou en bordure d'une allée. De la fin du printemps jusqu'à la fin de l'été, des tiges en fil de fer portent des fleurs en forme de cloche roses, rouges ou blanches, émergeant de touffes arrondies de feuilles diaprées, persistantes dans un climat doux. Les fleurs, qui durent longtemps, sont aptes à faire de bons bouquets. Les touffes atteignent 15 à 25 cm de hauteur et les hampes florales poussent de 30 à 60 cm. Un certain nombre d'excellents cultivars hybrides sont disponibles.

■ **CULTURE ET SOINS** Elle pousse mieux dans un sol humide et bien drainé, riche en humus. Un bon drainage en hiver est essentiel. Choisir un endroit en plein soleil ou légèrement ombragé, ce dernier étant préférable dans un climat chaud et sec. Espacez de 30 cm et plantez les couronnes à 2,5 cm de profondeur. Rustique à -40°C. Un paillis de rameaux de conifères sera étendu après que le sol aura gelé afin de prévenir le soulèvement des racines en hiver.

■ **PROPAGATION** Divisez au printemps ou à l'automne, habituellement tous les trois ou cinq ans, ou lorsque la couronne devient ligneuse. Les plus jeunes plants peuvent être divisés pour augmenter le nombre.

■ **INSECTES NUISIBLES ET MALADIES**
Charançons des racines; cochenilles des serres; pourriture de la tige.

Hibiscus moscheutos HYBRIDE

HIBISCUS

HIBISCUS

EXOTIQUE ET REMARQUABLE, l'hibiscus (*H. moscheutos*) produit un bel effet, dans le jardin, avec ses fleurs de 15 à 30 cm en forme de soucoupe sur des plants de 90 cm à 1,80 m, garnis de larges feuilles. Les fleurs blanches ou dans les tons de rose ou de rouge fleurissent du milieu de l'été à l'automne. Les utiliser comme plante spécimen ou en accent dans une plate-bande ou parmi les arbustes. Un certain nombre de cultivars hybrides sont aussi disponibles. L'hibiscus (*H. coccineus*) pousse de 1,80 m jusqu'à 2,40 m de hauteur et est garnie de feuilles bleu vert à la texture fine et de fleurs cramoisies de 15 cm. C'est la meilleure pour l'acclimatation.

■ **CULTURE ET SOINS** Elle pousse mieux en plein soleil dans un sol humide et riche en humus. L'ombre légère et un sol plus sec sont tolérés lorsque la plante est acclimatée. Elle vit longtemps et n'aime pas être dérangée, elle est aussi lente à germer au printemps. Espacez les plants de 90 cm. Rustique à -28°C, mais dans les endroits ou la température tombe à -18°C ou plus bas en hiver, il est préférable d'étendre du paillis.

■ **PROPAGATION** Même si c'est rarement nécessaire, divisez au printemps en mettant les bourgeons des feuilles à une profondeur de 10 cm. Bouturez. Semez.

■ **INSECTES NUISIBLES ET MALADIES**
Taches sur les feuilles; galle; rouille; pourriture de la tige; aphis; coléoptères; coccidés; mouches blanches.

HOSTA

LIS PLANTAIN, HOSTA

LE LIS PLANTAIN EST UNE des vivaces les plus populaires et les plus souvent utilisées. On le choisit parce qu'il s'adapte bien aux divers climats et sols, il demande peu d'entretien et possède l'attrait de monticules bien délimités et symétriques, formés de feuilles de textures et de couleurs variées. À part les nombreuses espèces, des milliers de cultivars hybrides ont été mis au point, allant de ceux de moins de 15 cm à ceux de plus de 90 cm de diamètre et présentant souvent des feuilles versicolores. Bien que le lis plantain possède des éperons de fleurs blanches, pourpres ou lavande, en été ou en automne, certaines étant odoriférantes, il est surtout cultivé pour son feuillage. Le lis plantain est utilisé comme spécimen ou en petits groupes dans les plates-bandes ou les bordures, en bordure des allées ou massé comme revêtement de sol.

Hostas

■ **ESPÈCES, VARIÉTÉS ET CULTIVARS** Le lis plantain à feuille solide (*H. decorata* aussi répertorié sous le nom 'Thomas Hogg') pousse jusqu'à 60 cm de hauteur et ses feuilles de 15 cm ont un pourtour marqué de blanc. Des fleurs lavande émergent en août. Le lis plantain Fortune (*H. fortunei*) pousse jusqu'à 60 cm, possède des feuilles gris vert en forme de cœur de 12,5 à 20 cm et des fleurs lavande fleurissant au milieu de l'été.

Le lis plaintain étroit (*H. lancifolia*) atteint 60 cm de hauteur et de largeur et possède des feuilles étroites, glacées, vert foncé, de 1 à 15 cm de long et des fleurs blanc violacé fleurissant à la fin de l'été et au début de l'automne.

Le lis plantain odoriférant (*H. plantaginea*) est le favori depuis longtemps. Il possède, à la fin de l'été, de grandes et odoriférantes fleurs blanches de 25 cm et des feuilles en forme de cœur formant une plante de 90 cm de diamètre.

Le lis plantain Siebold (*H. sieboldiana*) atteint 75 cm de hauteur et deux fois plus en largeur. Ses feuilles froncées de 25 à 38 cm de long, en forme de cœur, bleu vert et des fleurs lavande sur de courtes tiges partiellement cachées y fleurissent en été.

Le lis plantain d'automne (*H. tardifolia*) mesure 30 cm de hauteur, possède des feuilles étroites, vert foncé et des fleurs pourpre foncé fleurissant tard à l'automne. Le lis plantain aux feuilles ondulantes (*H. undulata*) a des feuilles pointues de 15 cm rayées de blanc ou de crème et des fleurs lavande sur des tiges de 90 cm, au milieu de l'été.

Le lis plantain bleu (*H. ventricosa*) arbore de grandes feuilles glacées, vert foncé, en forme de cœur et de longs éperons floraux pourpre tard à l'été et au début de l'automne.

■ **CULTURE ET SOINS** Il a besoin d'ombre allant de légère à complète et d'un sol humide et bien drainé, riche en humus. Un sol mouillé en hiver est désastreux. Le soleil complet est toléré si le sol est humide durant la saison de croissance, mais les types versicolores peuvent être alors moins colorés. Enlevez les tiges des fleurs fanées lorsque c'est possible. Espacez les plants de 30 à 60 cm, selon leur dimension, lorsqu'ils seront adultes. Rustique à -34°C.

■ **PROPAGATION** Divisez les jeunes plants au printemps seulement si on veut en augmenter le nombre, sinon ne pas les déranger.

■ **INSECTES NUISIBLES ET MALADIES** Limaces; escargots; pourriture de la couronne dans un sol mouillé.

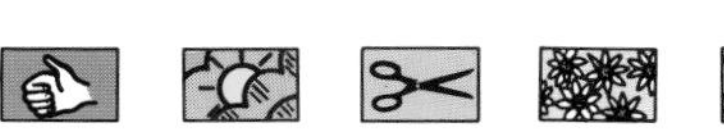

IBERIS

IBÉRIDE

L'IBÉRIDE (*I. sempervirens*) est une des meilleures plantes fleurissant au printemps. Ses touffes de fleurs blanches de 5 cm se détachent sur le vert foncé des feuilles persistantes, denses et à la texture fine; la plante ligneuse rampante mesure 15 à 25 cm de hauteur et 60 cm de largeur. Elle est excellente dans une rocaille, cascadant sur un mur, à l'avant des plates-bandes et des bordures, dans les jardinières ou en liséré. Il existe un certain nombre de cultivars.

■ **CULTURE ET SOINS** Elle pousse mieux en plein soleil, dans un sol humide mais bien drainé, neutre ou alcalin et riche en humus. Taillez les tiges de la moitié après la floraison afin que la plante demeure dense. Lorsqu'elle est bien acclimatée, elle ne doit pas être dérangée et ainsi elle vivra longtemps. Espacez de 38 cm. Rustique à -34°C.

■ **PROPAGATION** Bouture au début de l'été. Divisez au début de l'été, après la floraison.

■ **INSECTES NUISIBLES ET MALADIES** Racine massue; moisissure; rouille; chenilles; coccidés.

Iberis sempervirens

IRIS

IRIS

DES MILLIERS DE VARIÉTÉS arborant presque toutes les couleurs, à l'exception du rouge, associées à l'unique beauté des fleurs à la forme inhabituelle ont fait de l'iris un favori des jardins pendant des siècles. Les fleurs sont formées de trois pétales droits appelés standards et trois pétales retombants appelés chutes. Les fleurs peuvent être bicolores et les pétales plissés, en ruchés ou bordés d'une couleur différente; une houppe ou une barbe peut décorer le centre des chutes. La floraison arrive normalement au printemps ou à l'été, bien que quelques cultivars du grand iris à barbe fleurissent encore une fois à l'automne. Le feuillage est étroit, raide et en forme d'épée et la plante pousse en étendant ses racines charnues en rhizomes. Les plus petits iris sont appropriés dans une rocaille ou à l'avant d'une plate-bande ou d'une bordure fleurie. L'iris japonais sera planté au bord des cours d'eau ou dans d'autres endroits humides. Le grand iris peut être planté au centre ou au fond d'une plate-bande et d'une bordure fleurie, le long d'un mur ou parmi les arbustes. Les iris font de magnifiques fleurs coupées.

■ **ESPÈCES, VARIÉTÉS ET CULTIVARS** Les iris les plus familiers sont les hybrides barbus (souvent groupés sous l'appellation *Iris germanica*) qui sont divisés en trois classes: nains, intermédiaires, grands, puis en subdivisions selon la dimension de la fleur. La hauteur variera de 20 à 75 cm et le diamètre des fleurs de 4 à 20 cm.

L'iris de Sibérie (*I. sibirica*) vit longtemps et est le plus facile à cultiver. La plante atteint jusqu'à 90 cm et est ornée de feuilles gracieuses et élancées et de fleurs de 7,5 cm dans les tons de blanc, bleu, rouge pourpre et violet. Elles fleurissent en été, après l'iris barbu. Les touffes d'iris peuvent être répandues dans toutes les plates-bandes et bordures, car ils endurent le plein soleil et l'ombre légère. Laissez les gousses de semences sur la plante ou coupez-les pour en faire des bouquets séchés.

Iris ensata 'ELEANOR PARRY'

Iris sibirica

L'iris japonais (*I. ensata*) atteint 90 cm à 1,20 m de hauteur. Ses fleurs plates de 15 cm, sont dans les nuances de blanc, bleu, rose et pourpre et fleurissent au milieu de l'été.

L'iris à houppe (*I. cristata*) est un des plus petits iris, de 15 cm, aux fleurs printanières bleu lavande pâle ou blanches.

L'iris du faîte (*I. tectorum*) mesure 20 à 30 cm, avec des fleurs bleu lavande ou blanches. Il pousse à la fois en plein soleil et à l'ombre légère.

■ **CULTURE ET SOINS** À moins d'indication contraire, ils poussent mieux en plein soleil, mais acceptent l'ombre légère. L'iris à houppe, barbu, de Sibérie et du faîte ont besoin d'un sol à l'humus riche, humide mais bien drainé; les rhizomes seront à 2,5 cm sous la surface du sol. L'iris de Sibérie et celui du faîte préfèrent un sol légèrement acide. Excepté lorsque c'est contre indiqué, enlevez les fleurs fanées régulièrement. Les types courts sont espacés de 30 cm et les types plus grands à 45 cm. Rustique à -28°C.

■ **PROPAGATION** Divisez les rhizomes après la floraison. L'iris barbu a besoin d'être divisé habituellement aux trois ou quatre ans.

■ **INSECTES NUISIBLES ET MALADIES** L'insecte perforant de l'iris suivi d'un pourrissement dû aux bactéries se manifestent par des traces de viscosité sur la bordure des feuilles. Commencez à vaporiser au printemps et répétez hebdomadairement, pendant trois semaines; enlevez et détruisez les rhizomes infectés en tout temps, enlevez le vieux feuillage et les déchets à l'automne, pour empêcher que les œufs de l'insecte ne puissent hiverner.

KNIPHOFIA

FAUX ALOÈS, TRITOMA

DES TOUFFES COMPACTES DE GRACIEUSES feuilles gris vert courbées révèlent des éperons rigides de fleurs orangé vif, rouges, crème, corail ou jaunes qui sont présentes pendant une longue période en été. Les hybrides fleurissent au milieu de l'été et les espèces à la fin de l'été et au début de l'automne. Le feuillage pousse de 30 à 75 cm de hauteur et les hampes florales atteignent 60 cm à 1,20 m.

Le faux aloès vit longtemps et est agréable comme accent ou, en groupe de trois, sur le devant ou le milieu de plates-bandes et de bordures fleuries. Les fleurs sont propices aux bouquets de fleurs coupées et elles attirent les colibris.

■ **ESPÈCES, VARIÉTÉS ET CULTIVARS** L'espèce *K. uvaria* (connue aussi sous le nom de *K. pfitzeri* ou *Tritoma uvaria*) est rustique à -18°C, mais les différents cultivars hybrides sont rustiques à -28°C, surtout recouverts d'un léger paillis d'hiver fait de rameaux de conifères ou de feuilles.

■ **CULTURE ET SOINS** Ils poussent bien en plein soleil, dans un sol humide mais bien drainé, riche en humus. Le sol mouillé en hiver est habituellement fatal à ces fleurs. Évitez les endroits venteux, car la plante est difficile à attacher à un tuteur. Espacez de 45 cm et planter au printemps.

■ **PROPAGATION** Divisez tôt au printemps, à tous les quatre ou cinq ans, si désiré, en enlevant les jeunes pousses de côté ou en déterrant toute la plante pour la séparer.

■ **INSECTES NUISIBLES ET MALADIES**
Taches sur les feuilles; nématode.

 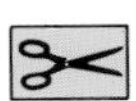 

Kniphofia HYBRIDE

Lavandula angustifolia

LAVANDULA

LAVANDE

LA LAVANDE EST UNE VIEILLE FAVORITE des jardins. Elle est aimée autant pour la senteur de ses fleurs et de ses feuilles, que pour son efficacité comme spécimen dans les plates-bandes et les bordures, les rocailles et en forme de haie basse. Les feuilles gris vert sont semblables à des aiguilles et les fleurs lavande, pourpres, roses ou blanches apportent leur fine texture et se marient bien aux autres plantes du jardin. Les fleurs s'épanouissent du début à la fin de l'été et servent à faire des bouquets frais ou séchés et des contenus de sachets de senteur. La lavande (*L. angustifolia* connue aussi sous le nom de *L. officinalis*, *L. vera* ou *L. spica*) pousse à une hauteur de 30 à 90 cm.

■ **CULTURE ET SOINS** Elle requiert le plein soleil et un sol bien drainé, sablonneux, alcalin et pas trop fertile. Taillez les vieilles tiges au printemps. Espacez les plants de 30 cm. Rustique à -28°C. Un paillis d'hiver est nécessaire dans des climats de -18°C ou plus froid.

■ **PROPAGATION** Bouturez au début de l'été. Semez.

■ **INSECTES NUISIBLES ET MALADIES**
Rarement attaquée.

 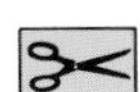   

LIATRIS

LIATRIDE

De longues et étroites baguettes de petites fleurs duveteuses pourpres, magenta ou blanches attirent les papillons et fleurissent du milieu de l'été au début de l'automne. Superbes fleurs coupées, fraîches ou séchées, elles ont la caractéristique particulière de s'épanouir du haut vers le bas. Le feuillage rigide, étroit et vert foncé forme des touffes ressemblant à de l'herbe et à la texture fine. L'effet vertical marqué de la liatride est intéressant au milieu d'une plate-bande fleurie et de bordures ou dans un jardin prairie.

■ **ESPÈCES, VARIÉTÉS ET CULTIVARS** La liatride du Kansas (*L. pycnostachya*) pousse jusqu'à une hauteur de 1,20 à 1,50 m et ses fleurs rose lavande de 2,5 cm éclosent à la fin de l'été et tôt à l'automne. La liatride en éperon (*L. spicata*) possède des tiges densément couvertes de feuilles et de fleurs magenta foncé ou blanches de 12 mm s'ouvrant en été. La plante atteint 90 cm de hauteur.

■ **CULTURE ET SOINS** Elle vit longtemps et pousse bien en plein soleil, dans un sol sablonneux à moyen, humide et bien drainé. Elle tolère le sol sec, bien drainé en hiver. Le tuteurage peut être nécessaire. Enlevez les fleurs fanées afin que la plante ne s'ensemence pas spontanément. Espacez à 30 ou 45 cm. Rustique à -40°C.

■ **PROPAGATION** Divisez les plantes trop encombrées tous les trois ou quatre ans, au début du printemps. Semez.

■ **INSECTES NUISIBLES ET MALADIES**
Rarement ennuyée.

  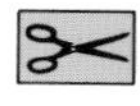   

Liatris spicata

Linum perenne

LINUM

LIN

Le lin vivace forme des grappes gracieuses et droites, munies de petites feuilles à la texture fine et de délicates fleurs bleues, jaunes ou blanches. Chaque fleur ne dure qu'une journée, mais si on les enlève au fur et à mesure, la plante fleurit tout l'été. Le lin est placé devant ou au milieu des plates-bandes, des bordures et dans les rocailles. Le lin bleu est également joli dans les jardins prairie.

■ **ESPÈCES, VARIÉTÉS ET CULTIVARS** Le lin bleu (*L. perenne*) est de 45 à 60 cm de hauteur et ses feuilles sont bleu vert, alors que les fleurs sont bleu clair ou blanches et de 2,5 cm.

Le lin de Narbonne (*L. narbonense*) est enjolivé de fleurs bleu azur de 2,5 cm, dont le centre est blanc, sur des tiges de 45 à 60 cm. Le lin doré (*L. flavum*) pousse de 30 à 45 cm en hauteur, ses feuilles sont vertes et ses fleurs jaunes sont de 2,5 cm.

■ **CULTURE ET SOINS** Il pousse mieux en plein soleil, dans un sol sablonneux à moyen, humide mais bien drainé. Espacez de 45 cm. Protégez les racines superficielles avec du paillis. Rustique à -28°C.

■ **PROPAGATION** Semez, bouturez, divisez au début du printemps.

■ **INSECTES NUISIBLES ET MALADIES**
Vers gris; rouille.

LOBELIA

CARDINALE, GRANDE LOBÉLIE BLEUE

LORSQU'IL EXISTE DE BONNES CONDITIONS de croissance, les deux espèces peuvent offrir des éperons de fleurs asymétriques de couleurs intenses, de l'été à l'automne, émergeant de grappes de feuilles basses. Elles réussissent bien lorsqu'on les plante le long des cours d'eau, dans des jardins prairie, dans des plates-bandes et des bordures légèrement ombragées.

■ **ESPÈCES, VARIÉTÉS ET CULTIVARS** La cardinale (*L. cardinalis*) possède des fleurs rouge écarlate de 4 cm sur des hampes de 90 cm à 1,20 m de hauteur qui attirent les colibris. Rustique à -46°C. La grande lobélie bleue (*L. siphilitica*) est garnie de fleurs bleu foncé de 2,5 cm sur des tiges de 60 à 90 cm. Rustique à -28°C. Il existe des cultivars hybrides des deux espèces.

■ **CULTURE ET SOINS** Les deux espèces poussent mieux à l'ombre légère, mais acceptent le plein soleil si le sol est toujours humide. Un sol riche en humus, mouillé ou humide est préférable. Des tuteurs pourront être nécessaires. Bien qu'elles ne vivent pas longtemps, elles s'ensemencent spontanément si les conditions de croissance sont favorables. Un paillis conserve le sol humide, améliore la résistance et stimule la croissance des jeunes pousses. Espacez les plants de 30 à 45 cm.

■ **PROPAGATION** Semez. Enlevez et replantez les nouvelles pousses au début de l'automne.

■ **INSECTES NUISIBLES ET MALADIES** Rouille; pourriture de la couronne; aphis; cicadelles.

Lobelia cardinalis

Lupinus x 'RUSSELL HYBRIDS'

LUPINUS

LUPIN

LE LUPIN (*Lupinus x* 'Russell Hybrids') possède des hampes florales de 60 à 90 cm et des fleurs de 2,5 cm ressemblant à des pois, dans les tons de blanc, de jaune, de rose, de rouge, de bleu ou de pourpre, soit d'une seule couleur ou bicolores et s'épanouissant au début de l'été. Les feuilles grises ou vert vif de cette plante fournie ont la forme d'une main. Le lupin a besoin d'endroits aux étés frais et humides; on le plante au milieu ou à l'arrière des plates-bandes et des bordures fleuries. Il vit environ quatre ans et ne se transplante pas facilement lorsqu'il est acclimaté.

■ **CULTURE ET SOINS** Il s'épanouit soit en plein soleil ou à l'ombre légère et a besoin d'un sol riche en humus, humide et bien drainé. Espacez les plants de 45 à 60 cm. Enlevez les fleurs fanées régulièrement afin de promouvoir une seconde floraison. Étendez du paillis afin de conserver l'humidité et d'assurer une protection pour l'hiver. Rustique à -28°C.

■ **PROPAGATION** Les graines doivent être entaillées avec une lime afin de germer facilement. Au printemps, faites des boutures de la tige en y laissant attachée une portion de racine.

■ **INSECTES NUISIBLES ET MALADIES** Flétrissure; moisissure; rouille; aphis; capses.

Lychnis chalcedonica

LYCHNIS

CROIX DE MALTE, AGROSTEMME EN COURONNE, SILÈNE

LES DIVERSES ESPÈCES SONT UTILES au devant ou au milieu de plates-bandes et de bordures fleuries ou acclimatées dans un jardin prairie. Les fleurs sont belles en fleurs coupées.

■ **ESPÈCES, VARIÉTÉS ET CULTIVARS** Les diverses espèces de lychnides adaptées au jardin sont très différentes d'apparence. La croix de Malte (*L. chalcedonica*) forme des grappes fournies. Ses tiges droites poussent de 60 à 90 cm et munies de feuilles velues, vert foncé et de grappes de fleurs orange écarlate de 2,5 cm, ouvertes du début au milieu de l'été. Une deuxième floraison apparaîtra si les fleurs fanées sont enlevées. La plante vit peu longtemps, mais s'ensemence à nouveau facilement. Il peut s'avérer nécessaire de mettre des tuteurs.

La coquelourde (*L. coronaria*) est une bisannuelle aux tiges et feuilles laineuses, gris vert. La plante est ouverte et fait des embranchements. Elle pousse de 45 à 60 cm de hauteur et ses fleurs magenta de 2,5 cm attirent les papillons. La plante s'ensemence spontanément. Des formes différentes sont disponibles.

La silène (*L. viscaria*) vit plus longtemps et s'orne de feuillage semblable au gazon, à demi persistant et de tiges minces longues de 30 à 45 cm, collantes juste en dessous des touffes de fleurs de 12 mm, qui fleurissent de la fin du printemps au milieu de l'été. Des formes différentes sont disponibles.

■ **CULTURE ET SOINS** La plante résiste à la sécheresse et pousse mieux en plein soleil, dans un sol moyen, très bien drainé. Un sol mouillé en hiver lui est fatal. Espacez les plants de 30 cm. Rustique à -40°C.

■ **PROPAGATION** Semez. Divisez au printemps ou à l'automne, habituellement tous les trois ou quatre ans.

■ **INSECTES NUISIBLES ET MALADIES** Taches sur les feuilles; pourriture des racines; rouille; charbon; mouches blanches.

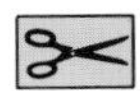

Lychnis coronaria

Lysimachia clethroides

LYSIMACHIA

LYSIMAQUE

LA LYSIMAQUE EN BEC D'OIE (*L. clethroides*) et la lysimaque jaune (*L. punctata*) sont très différentes d'apparence, mais partagent un trait commun, elles sont des plantes idéales pour l'acclimatation le long des cours d'eau ou dans d'autres endroits ouverts, ensoleillés ou légèrement ombragés, car les racines ont tendance à s'étendre rapidement.

■ **ESPÈCES, VARIÉTÉS ET CULTIVARS** La lysimaque en bec d'oie atteint 60 à 90 cm. Elle fait une bonne plante coupée. Ses fleurs blanches de 12 mm ornent une tige étroite, qui se courbe gracieusement d'un côté. La floraison se poursuit pendant longtemps en été et les couleurs du feuillage sont jaune bronze à l'automne. La lysimaque jaune est de même hauteur, mais ses fleurs jaunes de 2,5 cm se trouvent dans l'aisselle où les feuilles se joignent à la tige droite. La plante fleurit du début au milieu de l'été.

■ **CULTURE ET SOINS** Les deux types poussent dans un sol moyen à riche en humus et humide. Un sol plus sec est acceptable si l'ombre est légère. Espacez les plants de 30 cm entre eux ou de 90 cm des autres plantes pour laisser les racines s'étendre. Rustique à -34°C.

■ **PROPAGATION** Divisez à la fin du printemps ou au début de l'été.

■ **INSECTES NUISIBLES ET MALADIES** Rarement incommodée.

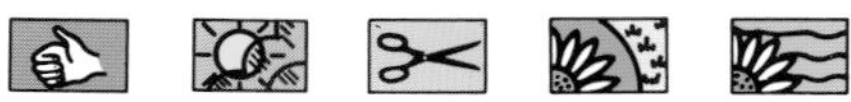

LYTHRUM

SALICAIRE COMMUNE

LA SALICAIRE COMMUNE VARIE BEAUCOUP en hauteur et par la couleur de ses fleurs. Elle s'adapte bien, nécessite peu d'entretien. C'est une plante fournie qui fleurit du début de l'été jusqu'à l'automne. Le feuillage, petit, ressemble à celui du saule, procurant une fine texture au jardin et les tiges abondantes portent des fleurs de 18 mm.

■ **ESPÈCES, VARIÉTÉS ET CULTIVARS** La salicaire commune (*Lythrum salicaria*) est devenue suffisamment acclimatée par l'ensemencement spontané. Plusieurs cultivars disponibles ont de meilleures couleurs et semblent stériles, ce qui leur évite d'être envahissants. La plupart poussent à 90 cm.

■ **CULTURE ET SOINS** Bien qu'elle pousse naturellement dans des prairies humides et le long des cours d'eau, elle vit bien dans un sol humide et bien drainé et peut même résister dans des conditions de sécheresse. Le plein soleil est préférable, mais l'ombre légère est tolérée. Espacez les plants de 45 cm. Rustique à -40°C.

■ **PROPAGATION** Divisez au printemps ou à l'automne. Bouturez les racines au début de l'été.

■ **INSECTES NUISIBLES ET MALADIES** Rarement ennuyée.

Lythrum salicaria

Macleaya cordata

MACLEAYA

BOCCONIA

La bocconia (*Macleaya cordata* connue aussi sous le nom de *Bocconia cordata*) est à son avantage plantée à proximité d'un édifice ou d'une haie. Elle est remarquable et d'un bel effet avec ses feuilles bleu vert, rondes et festonnées, dont le dessous est argenté, sur des tiges de 1,80 à 3 m. De légères branches duveteuses de 30 cm portent des fleurs sans pétale de 12 mm en été et les gousses de semences sont jolies jusqu'au gel. Les deux peuvent être coupées et séchées pour faire des arrangements floraux. La plante s'ensemence spontanément.

■ **CULTURE ET SOINS** Elle pousse mieux à l'ombre légère, dans des régions plus chaudes, mais le plein soleil est toléré dans des endroits plus frais. Plantez dans un sol moyennement humide et bien drainé, avec un espacement de 90 cm à 1,20 m. Rustique à -34°C.

■ **PROPAGATION** Divisez au printemps. Semez.

■ **INSECTES NUISIBLES ET MALADIES** Rarement ennuyée.

MARRUBIUM

MARRUBE

Bien qu'on l'utilise habituellement pour le jardin de fines herbes, le marrube argenté (*M. incanum* aussi enregistré sous le nom de *M. candidissimum*) est un bon choix pour les plates-bandes et les bordures fleuries, parce qu'il est une des vivaces qui ne pourrit pas rapidement dans un climat chaud et humide. Les feuilles plissées et laineuses ont jusqu'à 5 cm de long sur les plantes qui atteignent 60 à 90 cm de hauteur et de largeur. Les fleurs de 3 mm sont blanches et en rondelles le long des tiges; enlevez à moins de vouloir un ensemencement spontané, car la plante peut devenir envahissante.

■ **CULTURE ET SOINS** Il résiste à la sécheresse et pousse mieux en plein soleil, dans un sol sablonneux, bien drainé. La plante s'étend dans un sol riche et humide; on la contrôle en la rabattant lorsqu'elle atteint 30 cm. Espacez de 30 cm. Rustique à -34°C.

■ **PROPAGATION** Semez. Divisez, si les plantes ne sont pas trop ligneuses.

■ **INSECTES NUISIBLES ET MALADIES** Rarement ennuyé.

Marrubium incanum

Mertensia virginica

MERTENSIA

JACINTHE DE VIRGINIE

LA JACINTHE DE VIRGINIE (*M. virginica*) est une fleur sauvage du printemps que l'on aime beaucoup. Elle pousse bien en amoncellement sous les arbres et en bordure de la pelouse. Le feuillage meurt en été, il est donc préférable de la mêler à d'autres plantes. Elle pousse jusqu'à une hauteur de 30 à 60 cm avec des feuilles ovales bleu vert et des grappes retombantes de fleurs odoriférantes en forme d'entonnoir, qui mesurent 2,5 cm. Ses fleurs sont roses en bourgeons, mais deviennent bleues lorsqu'elles éclosent. Il y en a aussi qui sont rose et blanche. La plante s'ensemence spontanément.

■ **CULTURE ET SOINS** Elle pousse mieux à l'ombre légère ou complète, dans un sol acide, riche en humus, humide mais bien drainé, qui est plus sec lorsque la plante est dormante. Espacez de 20 à 30 cm, en plantant la couronne à 2,5 cm de profondeur. Rustique à -34°C.

■ **PROPAGATION** Semez les graines aussitôt qu'elles sont mûres. Divisez à l'automne.

■ **INSECTES NUISIBLES ET MALADIES** Limaces.

Monarda didyma 'CAMBRIDGE SCARLET'

MONARDA

MONARDE D'AMÉRIQUE

LA MONARDE D'AMÉRIQUE (*M. didyma*) vit longtemps, se cultive facilement et s'adapte bien. Ses fleurs de forme inhabituelle sont dans les tons de blanc, de rose, de lavande, de magenta, de rouge ou de bourgogne. Elles mesurent 5 à 7,5 cm, sont excellentes comme fleurs coupées et attirent les colibris et les abeilles. Les feuilles vert foncé ont une odeur de menthe. Feuilles et fleurs peuvent être séchées pour faire un ensemble aromatique. C'est un choix superbe pour le milieu ou le fond des bordures ou le centre des plates-bandes et également pour s'acclimater, car elles se répandent en lisières. Un certain nombre de cultivars possédant des appellations sont disponibles, ils poussent jusqu'à 60 ou 90 cm, leur feuillage est légèrement chevelu. La monarde pourpre (*M. fistulosa*) atteint 90 cm à 1,20 m de hauteur et ses feuilles douces sont chevelues; ses fleurs de 4 cm vont du lavande au pourpre. Elle peut être envahissante, il est donc préférable de la cultiver dans un endroit où elle est acclimatée.

■ **CULTURE ET SOINS** La monarde d'Amérique et la monarde pourpre poussent bien en plein soleil et à l'ombre légère, mais il faut plus d'humidité dans le sol en plein soleil. Une vaste gamme de sols sont tolérés, mais le meilleur est riche en humus, humide et bien drainé. La monarde pourpre, cependant, accepte mieux un sol plus pauvre, plus sec et des étés plus chauds. Enlevez régulièrement les fleurs séchées pour stimuler une floraison supplémentaire durant tout l'été. Rabattez la plante au sol à l'automne. Espacez les plants de 45 cm. Rustique à -34°C.

■ **PROPAGATION** Divisez au printemps, tous les trois ou quatre ans. Semez pour les espèces.

■ **INSECTES NUISIBLES ET MALADIES** Rarement présents.

NEPETA

CATAIRE

APPARENTÉS À L'HERBE AUX CHATS, deux types semblables de cataire sont très jolis dans le jardin, parce que leur texture délicate et leur coloris se mêlent bien aux autres fleurs et plantes. Les monticules qui s'étalent sont utiles comme bordure, dans une rocaille, dans une plate-bande surélevée ou sur des murs, ou encore devant les plates-bandes et les bordures. Les petites feuilles chevelues en forme de cœur recouvrent abondamment la plante haute de 30 à 45 cm. Des hampes florales de 6 mm doucement colorées de bleu ou de blanc au printemps et tôt à l'été peuvent refleurir si la plante est rabattue de moitié après la première floraison.

■ **ESPÈCES, VARIÉTÉS ET CULTIVARS** *N. x faassenii* est stérile et ne s'ensemence pas spontanément, il faut donc faire des divisions. *N. mussinii* peut être semée. 'Six Hills Giant' est un cultivar recommandé.

■ **CULTURE ET SOINS** Il pousse mieux en plein soleil dans un sol sablonneux, bien drainé. La plante pousse de façon plus touffue et plus joliment dans un sol pauvre et elle accepte la sécheresse et les étés chauds. Espacez de 30 à 45 cm. Rustique à -40°C.

■ **PROPAGATION** Les deux types peuvent être divisés au printemps. Semez pour obtenir le *N. mussinii*.

■ **INSECTES NUISIBLES ET MALADIES** Rouille; cicadelles.

Nepeta x faassenii

Oenothera tetragona

OENOTHERA

OENOTHÈRE, ONAGRE DU MISSOURI

DE MAGNIFIQUES FLEURS ODORIFÉRANTES, roses ou jaunes, qui fleurissent pendant la plus grande partie de l'été ont rendu ces vivaces populaires dans les rocailles, comme bordures ou à l'avant des plates-bandes.

■ **ESPÈCES, VARIÉTÉS ET CULTIVARS** Ce que l'on achète comme étant de l'oenothère peut être *O. fruticosa* var. *youngii* ou *O. tetragona*, parce qu'elles sont semblables. Elles poussent jusqu'à 45 et 60 cm et leurs feuilles minces, en forme de soucoupes, de 2,5 cm sont d'un vert brillant et leurs fleurs jaunes s'ouvrent durant le jour. L'onagre du Missouri ou oenothère de l'Osark (*O. missourensis*) possède des tiges traînantes de 30 cm de long et des fleurs jaunes de 10 cm de diamètre, qui ouvrent le soir et restent ainsi jusqu'au soir suivant. Les gousses de semences peuvent être séchées pour faire des bouquets. La remarquable onagre (*O. speciosa*) pousse jusqu'à 45 cm et arbore des fleurs roses ou blanches de 5 cm. Il faut choisir soigneusement l'endroit où la planter, car elle peut devenir envahissante.

■ **CULTURE ET SOINS** Les deux sont faciles à cultiver en plein soleil, dans un sol moyen bien drainé. Elles acceptent un environnement pauvre, sec et tolèrent la chaleur. Espacez les plants de 45 cm. Rustique à -28°C.

■ **PROPAGATION** Semez. Divisez au printemps, tous les trois ou quatre ans.

■ **INSECTES NUISIBLES ET MALADIES** Aphis; taches sur les feuilles; rouille.

HERBES ORNEMENTALES

LES HERBES ORNEMENTALES OFFRENT au jardinier de magnifiques et délicates textures dans une vaste gamme de dimensions, de formes et de couleurs. Elles offrent aussi un intérêt durant toute l'année parce que leur feuillage portant sa semence persiste durant l'hiver. Elles peuvent être utilisées de plusieurs façons différentes: dans des plates-bandes et des bordures fleuries, comme spécimens contre un mur ou parmi des arbustes, amoncelées, utilisées comme revêtement de sol ou faisant partie d'un jardin de prairie. Plusieurs fleurs de ces herbes ornementales sont excellentes fraîches ou séchées dans des bouquets.

■ **ESPÈCES, VARIÉTÉS ET CULTIVARS** La stipe (*Calamagrostis x acutiflora* 'Karl Foerster'), souple et gracieuse, arbore des feuilles de 75 cm très minces, vert pâle et de longues et étroites fleurs poussant à 1,50 m de hauteur. Elles s'épanouissent dans un ton doré pâle, au milieu de l'été, deviennent brunes à l'automne et durent pendant tout l'hiver, tournant au gris. La folle avoine (*Chasmanthium latifolium* connue aussi sous le nom de *Uniola latifolia*) présente de larges feuilles vert foncé de 60 cm de hauteur qui atteignent un diamètre de 90 cm. Les fleurs sont d'un ton chaud de doré, fleurissent à l'automne et se présentent comme des éperons aplatis sur des tiges arquées en fil de fer. Une ombre légère est acceptable. La seigle sauvage bleue (*Elymus glaucus*) est munie de feuilles plates poussant jusqu'à 1,20 m et de fleurs émergeant tard à l'été. Elle s'étend facilement et fait un bon revêtement de sol. Divisez tous les deux ou trois ans. Rustique à -46°C. La fétuque bleue (*Festuca cinerea*, connue aussi sous le nom de *F. ovina* 'Glauca') est une herbe élancée, de texture très fine, formant des grappes rondes de 20 à 25 cm de hauteur. La plante fleurit en juin, mais il est préférable de couper ses fleurs. L'herbe d'avoine bleue (*Helictotrichon sempervirens*) forme des grappes de feuilles

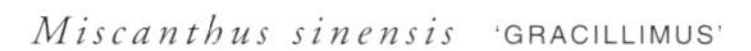

Miscanthus sinensis 'GRACILLIMUS'

Pennisetum alopecuroides

bleu vert à fine texture, raides comme des éperons, de 60 cm de hauteur. Les hampes florales poussent jusqu'à 1,20 m mais ne sont pas vraiment remarquables. L'herbe sanguine japonaise (*Imperata cylindrica* 'Rubra') possède de larges feuilles plates, en forme d'éperons de 60 cm, d'un rouge profond remarquable. Elle est utile parmi des plantes à feuilles grises et dans des rocailles. Rustique à -20°C. Il existe un certain nombre de cultivars d'herbe d'eulalie (*Miscanthus sinensis*) dont la plupart ont, tard à l'été, des panaches en forme de plume de 1,5 à 2,1 m, d'apparence soyeuse et qui persistent bien durant l'hiver. La plupart ont aussi un gracieux feuillage courbe, d'une hauteur de 1,20 à 1,80 m. L'herbe de fontaine (*Pennisetum alopecuroides*) a le feuillage typique de l'herbe poussant à 75 cm. Il est agrémenté d'une abondance de fleurs duveteuses en forme de brosse à bouteille de 12,5 cm, vertes en été, devenant brunes en automne et couleur bronze en hiver. Le roseau panaché (*Phalaris arundinacea* 'Picta') est une plante vigoureuse, qui s'étend et dont les feuilles rayées vert et blanc poussent de 60 à 90 cm de hauteur. Rustique à -40°C.

■ **CULTURE ET SOINS** Parmi les douzaines d'herbes ornementales, celles qui sont énumérées sont les plus disponibles immédiatement et les plus faciles à cultiver. Elles ont des exigences semblables, y compris le plein soleil et un sol riche en humus, humide mais bien drainé. Un sol moyen à pauvre et sec est habituellement acceptable. Taillez les plantes au niveau du sol au printemps, avant que la croissance ne commence. Il peut s'écouler plusieurs années avant que l'herbe ornementale ne soit complètement acclimatée. Rustique à -34°C, à moins d'indication contraire.

Paeonia 'Angelus'

PAEONIA

PIVOINE

LA PIVOINE EST PARMI LES VIVACES les plus largement cultivées et elle vit pendant des décennies. Fleurissant tard au printemps et tôt à l'été, cette plante touffue atteint de 60 à 90 cm et arbore un feuillage riche et luisant. Placez les pivoines dans les plates-bandes et les bordures, devant les arbustes ou comme haie basse ou encore à côté d'un mur.

■ **ESPÈCES, VARIÉTÉS ET CULTIVARS** Il existe des milliers de cultivars hybrides de la pivoine commune ou chinoise (*P. lactiflora*). Ses fleurs de 7,5 à 15 cm de largeur peuvent être dans des tons de blanc, de jaune crème, de rose ou de rouge et dans une des cinq formes suivantes: simple, avec huit pétales et une grappe d'étamines jaunes bien en relief; japonaise, munie d'un centre semblable à celui de l'œillet et d'un collier de pétales en forme de soucoupe; anémone, semblable à la japonaise mais plus ébouriffée; demi-double, aux étamines apparentes; double, sans étamines ou avec étamines cachées. Elle fait une excellente fleur coupée et certaines variétés sont odoriférantes. En choisissant les hâtives, celles de mi-saison et celles qui fleurissent tard, la période de floraison peut être longue de six semaines. *P. officinalis*, appelé aussi pivoine commune ou pivoine du jour du souvenir, est semblable à la pivoine de Chine de 10 cm; elle possède des fleurs simples écarlates et des étamines jaunes.

■ **CULTURE ET SOINS** Toutes les pivoines sont faciles à cultiver. Il lui faut un sol riche en humus, humide mais bien drainé, et le plein soleil ou l'ombre légère dans des lieux plus chauds. Plantez les pousses rouges à 2,5 cm de profondeur et de 60 à 90 cm de distance, avant que le sol ne gèle. Les types plus grands peuvent nécessiter le tuteurage. Pour éviter la flétrissure du botrytis, coupez toutes les tiges et les feuilles à l'automne. Rustique à -40°C, un paillis lui est bénéfique dans les régions où il fait -29°C ou plus froid, sans neige. Le froid de l'hiver est nécessaire et les pivoines ne croissent et ne fleurissent pas bien dans les régions tropicales.

■ **PROPAGATION** Bien qu'il soit préférable de ne pas les toucher, les pivoines peuvent être divisées à l'automne, en coupant les racines avec un couteau et s'assurant que chaque morceau possède trois yeux.

■ **INSECTES NUISIBLES ET MALADIES** Flétrissure du botrytis; escargots; limaces.

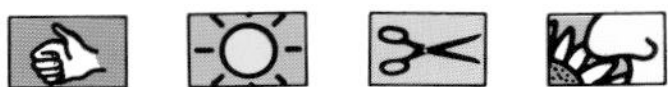

Paeonia 'MONS. JULES ELIE'

Papaver orientale

PAPAVER

PAVOT

UN FAVORI DE TOUT TEMPS, le pavot oriental (*P. orientale*) est aimé parce qu'il fleurit tôt en été et que ses fleurs translucides, semblables à du papier sont orangées, rouges, roses, saumon ou blanches, souvent garnies d'une tache pourpre tirant vers le noir, au centre. Les feuilles de 15 cm sont vert argenté, de texture rugueuse et semblables à la fougère. Les fleurs de 15 cm poussent sur des plantes de 60 cm à 1,20 m de hauteur. Elles sont bonnes à couper si elles sont cueillies en boutons commençant à ouvrir tôt le matin, l'extrémité de la tige devra être cautérisée à la flamme. La plante entre en dormance après la floraison, elle doit donc être plantée dans des plates-bandes ou des bordures près d'autres vivaces. Elle vit longtemps et il est préférable de ne pas la déranger pendant au moins cinq ans.

■ **CULTURE ET SOINS** Elle pousse facilement en plein soleil, dans un sol moyen et bien drainé. Un mauvais écoulement de l'eau en hiver lui est fatal. Le tuteurage peut être nécessaire pour les types plus grands. Espacez les plants de 45 cm et plantez la couronne à 7,5 cm de profondeur. Rustique à -30°C. Un paillis d'été et d'hiver est bénéfique.

■ **PROPAGATION** Divisez à la fin de l'été ou à l'automne lorsque de nouvelles pousses apparaissent. Bouturez les racines à la fin de l'été.

■ **INSECTES NUISIBLES ET MALADIES** Flétrissure; aphis.

PHLOX

PHLOX

LE PHLOX CONSTITUE UN GROUPE de vivaces variées et nombreuses. On le retrouve dans une variété de dimensions, de formes et de couleurs. Ainsi, il est indispensable dans un jardin. Il est facile à cultiver et fleurit pendant de longues périodes; chaque type possède une fleur plate, caractéristique, à cinq pétales. Les types plus grands sont utilisés au mieux dans les plates-bandes et les bordures; les plus petits, rampants, iront dans les jardins de fleurs sauvages et dans ceux garnis d'arbres; les phlox en forme de revêtement de sol se répandront au-delà des bords des plates-bandes surélevées, sur les murs ou dans les rocailles.

■ **ESPÈCES, VARIÉTÉS ET CULTIVARS** Le phlox de Caroline (*P. caroliniana* enregistré également sous le nom de *P. suffruticosa*) pousse en grappes relâchées de 90 cm et ses touffes plates de 18 mm de fleurs pourpre à rose s'épanouissent tôt à l'été. Il résiste à la moisissure et aux mites, il accepte aussi l'ombre légère.

L'œillet de poète sauvage (*P. divaricata*) pousse à une hauteur de 30 cm et ses tiges rampantes s'étendent rapidement. Ses fleurs de 2,5 cm bleu pâle, lavande ou blanches s'épanouissent en grappes plates et non serrées, tôt au printemps. Il pousse mieux à l'ombre légère.

Le phlox des prairies (*P. maculata* habituellement enregistré sous le nom de *P. caroliniana*, auquel il ressemble) pousse en grappes munies de fortes tiges de 1,20 m et de larges touffes de fleurs de 12 mm, pourpres, roses ou blanches. Résiste à la moisissure et requiert rarement du tuteurage; s'il est rabattu, il fleurira une deuxième fois.

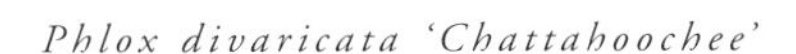

Phlox divaricata 'Chattahoochee'

Phlox paniculata

Le phlox de jardin (*P. paniculata*) pousse en touffes de 90 cm à 1,20 m de hauteur et fleurit de l'été au début de l'automne, en grands bouquets ouverts de fleurs mesurant 2,5 cm dans les tons de rose, de blanc, de rouge ou de bleu pâle. Ce sont des plantes délicates, sensibles à la moisissure et qui réussissent mieux dans les endroits frais en été.

Le phlox rampant (*P. stolonifera*) pousse à 30 cm de hauteur et ses tiges sont rampantes. Les fleurs de 18 mm s'épanouissent au printemps et peuvent être pourpres, violettes ou bleues.

Le phlox de terre ou mousse, rose (*P. subulata*), forme un tapis qui atteint 15 cm de hauteur et dont les feuilles ressemblent à des aiguilles. Au printemps, il est couvert abondamment de fleurs de 18 cm, pourpre clair, roses ou blanches.

■ **CULTURE ET SOINS** Il pousse mieux dans un sol humide mais bien drainé, riche en humus. Espacez les plants de 30 à 60 cm. Rustique à -40°C.

■ **PROPAGATION** Divisez au printemps, habituellement tous les trois ou quatre ans. Bouturez.

■ **INSECTES NUISIBLES ET MALADIES** Moisissure; taches sur les feuilles; coléoptères; mites; capses.

PHYSOSTEGIA

PLANTE DOCILE, PHYSOSTÉGIE

FACILE À CULTIVER, LA PLANTE DOCILE (*P. virginiana* connue aussi sous le nom de *Dracocephalum virginianum*) pousse en touffes fournies de 60 cm à 1,20 m de hauteur et ses hampes florales sont rigides, comme une baguette et portent des fleurs tubulaires de 2,5 cm, roses, magenta, lilas ou blanches. La floraison dure longtemps en été et à l'automne et les fleurs sont excellentes lorsque coupées. Elle se répand rapidement et est utile dans les jardins de fleurs sauvages et le long des cours d'eau. Les cultivars possédant des noms sont meilleurs pour les endroits du jardin plus organisés, comme les plates-bandes et les bordures traditionnelles.

■ **CULTURE ET SOINS** Elle pousse mieux dans un sol légèrement acide, moyen et humide, en plein soleil. Un sol plus sec est acceptable, surtout à l'ombre légère, mais les plants seront plus courts. Espacez de 45 à 60 cm. Rustique à -40°C.

■ **PROPAGATION** Divisez au printemps, tous les deux ans.

■ **INSECTES NUISIBLES ET MALADIES** Rouille; moisissure; aphis.

Physostegia virginiana

PLATYCODON

PLATYCODON

LE PLATYCODON (*P. grandiflorus*) est une plante de 45 à 75 cm de hauteur, droite et touffue, dont le bourgeon, en ballon, s'ouvre en forme de coupe étoilée de 5 cm, de couleur bleue. De longue floraison, il possède également d'autres variétés. Les fleurs font de magnifiques bouquets; l'extrémité de la tige doit être cautérisée à la flamme.

■ **CULTURE ET SOINS** Cette plante se cultive et s'acclimate bien. Elle commence à germer tard au printemps, donc indiquez avec soin l'endroit où elle fut plantée. Les cultivars bleus et blancs excellent en plein soleil, mais les fleurs roses se fanent si elles ne sont pas à l'ombre légère. Le sol doit être de moyen à sablonneux, bien drainé; un sol qui s'égoutte mal en hiver sera fatal à la plante. Elle demande quelques années pour s'acclimater et, s'il faut la transférer, on doit creuser profondément pour aller chercher toutes les racines, qui s'étendent. La division est rarement nécessaire; la plante vit longtemps. Elle s'ensemence spontanément mais n'est pas rampante. Il faut installer des tuteurs pour les plus grands cultivars. Enlevez les fleurs fanées régulièrement afin de prolonger la floraison. Espacez les plants de 30 à 45 cm en plaçant la couronne tout juste sous la surface du sol; un groupe de trois plants au milieu d'une plate-bande ou d'une bordure est très attrayant. Bien qu'il soit rustique à -40°C, une légère protection en hiver est souvent nécessaire pour que le platycodon survive.

■ **PROPAGATION** Enlevez les sections externes de la couronne au printemps lorsque les pousses sont de 2,5 cm de hauteur. Semez.

■ **INSECTES NUISIBLES ET MALADIES** Pourriture de la racine; coléoptères.

  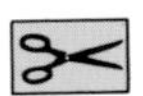

Platycodon grandiflorus

Polygonatum odoratum thunbergii 'VARIEGATUM'

POLYGONATUM

SCEAU-DE-SALOMON

LES DIVERSES FORMES DU SCEAU-DE-Salomon se ressemblent: tiges arquées, sans embranchement, feuilles tubulaires pointues, ovales et retombantes et fleurs blanches ou crème apparaissant à la fin du printemps et tôt à l'été.

■ **ESPÈCES, VARIÉTÉS ET CULTIVARS** Le *P. biflorum* est cultivé pour son beau feuillage, à l'ombre légère ou complète, il pousse de 30 à 90 cm; *P. commutatum* (aussi connu sous le nom de *P. giganteum*) atteint 1,20 à 1,80 m de hauteur et le *P. x hybridum* (aussi connu sous le nom de *P. multiflorum*) atteint 90 cm. Le sceau-de-Salomon japonais versicolore (*P. odoratum thunbergii* 'Variegatum') pousse de 60 à 90 cm et ses feuilles sont bordées d'un blanc crème, la plus belle forme de cette plante.

■ **CULTURE ET SOINS** Les racines à rhizomes s'étendent lentement formant de jolies colonies. Le sceau-de-Salomon vit longtemps, est rarement envahissant et n'a presque jamais besoin d'être divisé. Il s'épanouit dans un sol humide mais bien drainé, riche en humus; un sol sec est quand même toléré. Espacez les plants de 45 à 60 cm de distance. Rustique à -34°C.

■ **PROPAGATION** Divisez au printemps ou à l'automne. Semez.

■ **INSECTES NUISIBLES ET MALADIES** Rarement attaqué.

PRIMULA

PRIMEVÈRE

DES CENTAINES D'ESPÈCES ET des milliers de cultivars de primevères ont fait fondre le cœur des jardiniers grâce aux couleurs vives qu'elles apportent à un jardin printanier légèrement ombragé. La plupart des types forment une touffe s'agrippant au sol, munie de longues feuilles étroites, rondes ou ovales, et de tiges sans feuille portant des grappes de fleurs à cinq pétales, demi-doubles ou doubles. Bien que sa vie soit courte, la primevère pousse facilement à partir de semences.

■ **ESPÈCES, VARIÉTÉS ET CULTIVARS** La primevère alpine (*P. auricula*) atteint 20 cm et arbore des grappes de fleurs odoriférantes de 2,5 cm, s'épanouissant au printemps, dans une vaste gamme de couleurs atténuées avec un centre blanc. Les formes hybrides sont plus faciles à cultiver que les espèces. Rustique à -40°C. La primevère de l'Himalaya (*P. denticulata*) arbore, au printemps, des touffes rondes de fleurs de 5 cm, de couleur lilas, sur des tiges de 25 cm. Rustique à -34°C. La primevère du Japon (*P. japonica*) possède des verticilles de fleurs de 2,5 cm, magenta, écarlates, roses ou blanches, espacés le long de tiges poussant à une hauteur de 60 cm. Elle s'ensemence spontanément et facilement, surtout si elle est cultivée dans un sol constamment humide, comme en bordure d'un cours d'eau. Rustique à -28°C. La primevère la plus fréquemment cultivée est la primevère polyanthus (*P. x polyantha*) qui atteint 25 cm et dont les fleurs simples ou doubles de

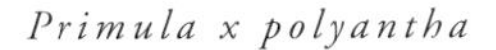

Primula x polyantha

Primula denticulata

2,5 à 5 cm sont de presque toutes les couleurs imaginables. Généralement rustique à -34°C, mais varie selon le cultivar. La primevère Siebold (*P. sieboldii*) est munie de feuilles frisolées, festonnées et de grappes de fleurs roses ou blanches de 2,5 à 5 cm, tard au printemps ou tôt à l'été, sur des plants de 30 cm. Elle résiste habituellement bien à la chaleur. Rustique à -28°C. La primevère anglaise ou commune (*P. vulgaris* connue aussi sous le nom de *P. acaulis*) possède des fleurs jaunes de 2,5 cm, très odoriférantes, fleurissant tôt au printemps sur des plants de 15 cm aux feuilles persistantes. Il existe un certain nombre de cultivars et de variétés dans une vaste gamme de couleurs. Rustique à -28°C.

■ **CULTURE ET SOINS** La majorité des types poussent mieux dans un sol humide et bien drainé, riche en humus et à l'ombre haute et légère. Un paillis d'été et de l'arrosage durant la saison sèche sont nécessaires. Un paillis d'hiver léger est bénéfique dans les endroits froids où la couverture de neige est légère. Espacez de 30 cm.

■ **PROPAGATION** Divisez après la floraison. Semez.

■ **INSECTES NUISIBLES ET MALADIES** Tétranyque; limaces; taches sur les feuilles; pourriture.

Pulmonaria saccharata 'MISS MOON'

PULMONARIA

PULMONAIRE

CETTE PETITE PLANTE RAMPANTE munie de feuilles vert foncé, chevelues ou diaprées, possède des fleurs printanières roses, bleues ou blanches; la subtilité de la pulmonaire est mieux appréciée lorsqu'elle pousse à l'avant d'une bordure ombragée, le long d'une allée ou plantée en touffes parmi les arbustes et les arbres. Le feuillage est agréable pendant toute la saison de croissance.

■ **ESPÈCES, VARIÉTÉS ET CULTIVARS** La pulmonaire bleue (P. angustifolia) atteint de 15 à 30 cm de hauteur avec des feuilles vert foncé étroites. Des grappes serrées de bourgeons roses s'ouvrent sur des fleurs bleues de 12 mm. La pulmonaire (P. saccharata) atteint entre 30 et 45 cm et ses feuilles à demi persistantes sont diaprées de taches grises ou blanches. Les grappes de fleurs de 12 mm peuvent être blanches, bleues ou roses.

■ **CULTURE ET SOINS** Elle pousse mieux à l'ombre légère dans un sol humide et bien drainé, riche en humus. Espacez les plants de 30 cm. Il est rarement nécessaire de diviser, à moins que les plants ne deviennent trop serrés, mais ils ne sont pas envahissants. Rustique à -34°C.

■ **PROPAGATION** Divisez à l'automne.

■ **INSECTES NUISIBLES ET MALADIES**
Limaces.

RUDBECKIA

RUDBECKIE

LA RUDBECKIE JAUNE DORÉ VIBRANT et lumineux, semblable aux marguerites et fleurissant du milieu de l'été à l'automne, a rendu toutes les variétés de cette fleur populaire chez des générations de jardiniers. Certaines annuelles, bisannuelles ou vivaces ont la vie courte, mais deux vivent longtemps et sont des vivaces nécessitant peu d'entretien, utiles devant ou au milieu de plates-bandes et de bordures, massées en grandes touffes ou plantées dans un jardin de prairie. Elles font de bonnes fleurs coupées et les cônes foncés qui demeurent après que les fleurs se soient fanées sont remarqués dans un jardin hivernal.

■ **ESPÈCES, VARIÉTÉS ET CULTIVARS** La rudbeckie orangée (*R. fulgida*) est une plante de 60 à 90 cm de hauteur, fournie et faisant des embranchements, avec des feuilles chevelues et des fleurs de 7,5 à 10 cm, aux pétales jaune orangé entourant un cône brun noir. Le cultivar très vendu *R. fulgida* var. *sullivantii* 'Goldsturm' atteint 60 cm et produit des masses de grandes fleurs. La *R. nitida* pousse de 90 cm à 1,20 m et ses fleurs sont jaune citron avec un centre tirant sur le vert.

■ **CULTURE ET SOINS** Elle pousse facilement en plein soleil et dans un sol moyen à humide, bien drainé. Espacez de 45 cm. Rustique à -40°C.

■ **PROPAGATION** Divisez tôt au printemps, tous les trois ou quatre ans. Semez.

■ **INSECTES NUISIBLES ET MALADIES**
Adèles; moisissure; aphis; rouille.

Rudbeckia fulgida

SALVIA

SAUGE

LE GENRE SALVIA EST TRÈS ÉTENDU et se déploie en annuelles, bisannuelles et vivaces. Elle comprend aussi la populaire sauge annuelle écarlate et la sauge qui est une fine herbe pour la cuisine. La sauge violette (*S. x superba* connue aussi sous le nom de *S. nemorosa*) est la vivace qui vit le plus longtemps et qui est la plus facile à cultiver et la meilleure pour les jardins d'entretien minimal. Elle présente une abondance de hampes florales de 15 à 30 cm aux fleurs pourpres foncées de 12 mm. Elle convient aux bouquets de fleurs fraîches ou séchées. La plante pousse de 45 à 90 cm en hauteur et ses feuilles sont vert gris.

■ **CULTURE ET SOINS** Elle réussit mieux en plein soleil et dans un sol moyen, bien drainé, mais elle tolère aussi la sécheresse. Un sol mal drainé en hiver est habituellement fatal à cette plante. Espacez de 30 à 45 cm. Enlevez les fleurs fanées régulièrement pour prolonger la floraison. Même si elle est rustique à -28°C, un léger paillis d'hiver est bénéfique.

■ **PROPAGATION** Divisez au printemps ou à l'automne.

■ **INSECTES NUISIBLES ET MALADIES**
Mouches blanches; taches sur les feuilles; rouille; coccidé.

  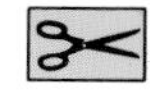  

Salvia x superba 'MAY NIGHT'

Scabiosa caucasica

SCABIOSA

SCABIEUSE

AU-DESSUS DE TOUFFES DE FEUILLAGE finement taillé, vert gris, la scabieuse du Caucase (*S. caucasica*) dresse, durant tout l'été, ses tiges de fleurs bleues, lavande ou blanches de 5 à 7,5 cm, d'une texture riche, faisant d'excellentes fleurs coupées. Elle pousse à 30 et 45 cm de hauteur et est très appréciée lorsqu'elle est plantée en groupe de trois, près du devant d'une plate-bande ou d'une bordure. Le meilleur cultivar est 'Fama'. Ses fleurs bleu intense sur des tiges solides de 45 à 60 cm.

■ **CULTURE ET SOINS** Elle pousse facilement en plein soleil, dans un sol bien drainé, sablonneux ou moyen, neutre ou alcalin. Elle ne réussit pas bien s'il fait trop chaud, à moins d'être cultivée à l'ombre légère. Espacez de 30 cm. Rustique à -40°C. Enlevez les fleurs fanées régulièrement pour prolonger la floraison.

■ **PROPAGATION** Divisez au printemps, si nécessaire. La semence fraîche est semée à l'automne.

■ **INSECTES NUISIBLES ET MALADIES**
Limaces.

Sedum 'AUTUMN JOY'

SEDUM

ORPIN

L'ORPIN EST UN ÉNORME GROUPE de plantes possédant des centaines d'espèces, de variétés et de cultivars, connues pour leur joli feuillage charnu, leurs grappes de fleurs remarquables, de 6 mm, attirant les papillons, à la floraison prolongée et résistant bien à la sécheresse. Plusieurs sont des plantes rampantes particulièrement bonnes pour les rocailles, l'ornementation des murs et des escaliers ou en bordure des allées. Les types plus grands atteignent 60 cm et sont de jolis ajouts au centre des plates-bandes et des bordures.

■ **ESPÈCES, VARIÉTÉS ET CULTIVARS** L'orpin le plus cultivé est l'hybride 'Autumn Joy' (aussi appelé 'Indian Chef'). Il atteint 60 cm, possède des feuilles vert gris et sa floraison commence au début de l'automne, avec des grappes de minuscules fleurs rose pâle lorsqu'elles s'ouvrent; graduellement cette couleur s'approfondit vers un rose rouge saumon, puis bronze cuivré à la fin de l'automne et à l'hiver. Ses fleurs peuvent servir dans des bouquets de fleurs séchées ou être laissées sur la plante pour créer un ornement d'hiver. Il tolère un sol humide et l'ombre légère, mais réussit mieux en plein soleil, dans un sol bien drainé. Son proche parent est l'orpin remarquable (*S. spectabile*) qui mesure 60 cm de hauteur et arbore des fleurs roses. Le daphné d'octobre (*S. sieboldii*) est une plante de 15 cm, rampante, aux feuilles grises à demi persistantes et dont les fleurs roses s'ouvrent à la fin de l'automne.

Le grand orpin aux feuilles pourpres (*S. maximum* 'Atropurpureum') s'étend rigidement avec des tiges de 60 cm; son feuillage est rouge pourpre et ses fleurs vieux rose apparaissent au début de l'automne. L'orpin aizoon (*S. aizoon*) est de 30 à 45 cm de hauteur, ses feuilles sont vert vif sur des tiges droites et ses fleurs jaunes fleurissent en été. *S. kamtschaticum* atteint 15 à 30 cm, ses tiges sont droites et ses fleurs jaune orangé fleurissent du milieu de l'été jusqu'à l'automne.

■ **CULTURE ET SOINS** Résistant, s'adaptant bien et poussant aisément, il tolère une vaste gamme de conditions, mais réussit mieux en plein soleil et dans tout sol bien drainé. Les types plus courts seront espacés de 30 cm et les plus grands de 45 à 60 cm. Rustique à -34°C.

■ **PROPAGATION** Divisez au printemps. Bouturez à l'été.

■ **INSECTES NUISIBLES ET MALADIES** Rarement atteint.

Sedum kamtschaticum

Smilacina racemosa

SMILACINA

FAUX SCEAU-DE-SALOMON

LE FAUX SCEAU-DE-SALOMON (*S. racemosa*) est agrémenté de tiges arquées de 45 à 60 cm portant des feuilles ovales ressemblant au sceau-de-Salomon. La floraison arrive tard au printemps, en grappes de 10 à 15 cm, semblables à des plumes portant de minuscules fleurs d'un blanc crémeux qui, à la fin de l'été deviennent des touffes de baies rouge vif. Le faux sceau-de-Salomon est une bonne plante à feuillage qui s'acclimate à la lumière ou à l'ombre complète, se répandant par d'épaisses racines en rhizomes et qui est particulièrement joli mêlé à des bulbes printaniers ou des fougères; on peut le planter soit derrière les hostas ou devant des arbustes qui aiment l'ombre.

■ **CULTURE ET SOINS** Il pousse mieux dans un sol légèrement acide, riche en humus, humide mais bien drainé. Espacez de 30 à 45 cm. Rustique à -34°C.

■ **PROPAGATION** Divisez au printemps, ce qui est rarement nécessaire, sinon pour augmenter les plants. Semez à l'automne.

■ **INSECTES NUISIBLES ET MALADIES**
Rarement ennuyé.

SOLIDAGO

VERGE D'OR

LA VERGE D'OR FORME DES TOUFFES larges et droites de 45 cm à 1,05 m, d'où s'embranchent de gracieuses fleurs jaune doré, du milieu de l'été jusqu'à l'automne. Les fleurs fraîches ou séchées forment de beaux bouquets et on peut même les conserver dans la glycérine pour en faire des bouquets d'hiver. On la plante au milieu des plates-bandes et des bordures, on la regroupe en amoncellements ou on la laisse s'acclimater dans des jardins prairie. Elle est vraiment saisissante si on la plante par groupe de trois. Si le sol est riche, les racines se répandront rapidement et certains types s'ensemencent spontanément. À l'état sauvage, un certain nombre d'espèces de verge d'or font de l'hybridation facilement, ce qui rend difficile l'identification spécifique et les plantes formées à partir de semences peuvent varier. La meilleure façon d'obtenir des formes qui fleurissent mieux est d'acheter des cultivars identifiés, dans les centres horticoles.

■ **CULTURE ET SOINS** Elle pousse bien en plein soleil et dans presque tout sol bien drainé, qu'il soit sablonneux ou moyen. L'ombre légère est tolérée. Espacez de 45 cm. Rustique à -34°C.

■ **PROPAGATION** Divisez au printemps, tous les trois ans.

■ **INSECTES NUISIBLES ET MALADIES**
Rouille.

Solidago

Stachys macrantha

STACHYS

BÉTOINE

LES DEUX FORMES DE BÉTOINES UTILES pour le jardin sont très peu semblables. La grande bétoine (*S. macrantha* aussi connue sous le nom de *S. grandiflora*) possède des feuilles duveteuses, vert foncé, en forme de cœur, plissées et aux bords festonnés. À la fin du printemps et tôt à l'été, des éperons verticillés de fleurs de 4 cm, violettes, rose lavande ou roses, atteignent 45 à 60 cm. On les plante sur le devant des plates-bandes et des bordures et on les emploie dans les bouquets. La bétoine surnommée oreille d'agneau (*S. byzantina* aussi connue sous le nom de *S. 'Olympica lanata'*) forme un recouvrement de sol de 60 cm, avec des feuilles longues de 10 à 15 cm, blanches, épaisses et à l'aspect de fourrure douce et dont les hampes florales de 12 mm sont de couleur magenta. Les fleurs sont produites de façon intermittente tout l'été; certains jardiniers préfèrent les couper pour améliorer l'apparence de la plante et empêcher l'autoensemencement. Cette espèce, qui vit longtemps, forme un revêtement de sol dense et met de l'accent devant les plates-bandes et les bordures, dans une rocaille ou comme bordure.

■ **CULTURE ET SOINS** Les deux formes poussent bien dans un sol pauvre ou moyen, bien drainé. Plantez la grande bétoine en plein soleil ou à l'ombre légère et celle surnommée oreille d'agneau, en plein soleil. Espacez les plants de 30 cm. Rustique à -34°C.

■ **PROPAGATION** Divisez au printemps ou à l'automne, tous les quatre ans ou lorsque la plante s'étiole au centre. Semez.

■ **INSECTES NUISIBLES ET MALADIES** Rarement ennuyée, à l'exception de l'oreille d'agneau qui peut pourrir dans un climat chaud et humide.

Stachys byzantina

Stokesia laevis

STOKESIA

STOKÉSIE

LA STOKÉSIE (*S. laevis*) est une plante rigide qui forme des embranchements et dont les feuilles longues et étroites sont persistantes dans les climats plus chauds. La fleur est dentelée, frangée, bleue ou blanche, de 10 cm de diamètre, sur une tige de 30 à 60 cm. Excellente en fleur coupée, elle est à son meilleur plantée en groupes de trois à l'avant d'une bordure.

■ **CULTURE ET SOINS** Elle vit longtemps et pousse bien en plein soleil, avec un sol moyen et bien drainé. Un drainage inadéquat en hiver est habituellement fatal à la plante. Espacez de 30 à 45 cm. Enlevez les fleurs fanées régulièrement pour prolonger la floraison. Rustique à -28°C avec un léger paillis bénéfique dans les endroits plus froids, afin d'empêcher les racines de sortir du sol.

■ **PROPAGATION** Divisez au printemps, tous les quatre ans. Semez.

■ **INSECTES NUISIBLES ET MALADIES** Rarement attaquée.

 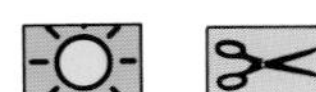 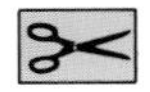

THALICTRUM

PIGAMON

DES NUAGES AÉRÉS DE FLEURS LAVANDE, jaunes ou roses au-dessus de délicates feuilles bleu vert donne au pigamon une apparence élégante et une fine texture qui enjolive l'arrière des plates-bandes et des bordures, le bord des cours d'eau et les jardins de fleurs sauvages. Les fleurs sont belles en bouquets de fleurs coupées.

■ **ESPÈCES, VARIÉTÉS ET CULTIVARS** Le pigamon à feuilles d'ancolie (*T. aquilegifolium*) atteint 90 cm et ses feuilles ressemblent à celles de la colombine. Des grappes serrées en forme de houppes de fleurs lavande de 12 mm éclosent à la fin du printemps. Le pigamon de Rochebrun (*T. roquebrunianum*) atteint 90 cm à 1,50 m de hauteur et ses feuilles ressemblent à celle de l'adianthe. Les souples grappes fleurissant en été sont composées de fleurs de 12 mm à cinq pétales, pourpres ou rose lavande, avec en leur centre des étamines jaune vif. Le pigamon jaune (*T. flavum*) pousse de 90 cm à 1,50 m et comporte en été des masses de fleurs jaunes duveteuses.

■ **CULTURE ET SOINS** Dans les climats aux étés frais, elle pousse bien en plein soleil, mais là où la chaleur est plus forte, l'ombre légère et un paillis d'été sont préférables. Donnez un sol riche en humus, humide mais bien drainé. Le tuteurage est nécessaire pour le pigamon jaune et celui de Rochebrun. Espacez les plants de 45 à 60 cm, en les regroupant de préférence par trois. La plante nécessite quelques années pour s'acclimater. Rustique à -28°C.

■ **PROPAGATION** Divisez tous les quatre ou cinq ans, au printemps. La semence fraîche est mise en terre à l'automne.

■ **INSECTES NUISIBLES ET MALADIES** Moisissure; rouille; aphis.

  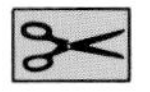

Thalictrum flavum

Thermopsis villosa

THERMOPSIS

THERMOPSIS DE CAROLINE

LE THERMOPSIS DE CAROLINE (*T. villosa* connu aussi sous le nom de *T. caroliniana*) ressemble au lupin; il a de longs éperons de 20 à 30 cm garnis de fleurs jaunes de 12 mm ressemblant à des pois, sur des tiges solides de 90 cm à 1,50 m, du début au milieu de l'été. La plante s'étend lentement pour former des grappes de 90 cm de diamètre. Elle vit longtemps et survit même à la négligence. Son feuillage est joli pendant tout l'été et ses racines profondes résistent à la sécheresse. On la place à l'arrière des bordures ou au centre des plates-bandes de même que dans les jardins de prairie. Les fleurs durent longtemps dans les bouquets de fleurs coupées, en autant qu'on les cueille lorsque les fleurs du bas seulement sont ouvertes.

■ **CULTURE ET SOINS** Il pousse facilement dans un sol pauvre ou moyen, bien drainé, en plein soleil, bien que l'ombre légère soit tolérée. Le tuteurage peut s'avérer nécessaire pour les plantes plus vieilles ou dans les endroits venteux. Espacez de 60 à 90 cm. Rustique à -40°C.

■ **PROPAGATION** Il est rarement nécessaire de diviser, ce qui est d'ailleurs difficile à cause des racines profondes. Bouturez à la fin du printemps. Les semences fraîches sont mises en terre à la fin de l'été.

■ **INSECTES NUISIBLES ET MALADIES** Rarement ennuyé.

TRADESCANTIA

ÉPHÉMÈRE DE VIRGINIE

LES GRACIEUSES FEUILLES LONGUES ET ÉTROITES de l'éphémère de Virginie (*T. x andersoniana* connue aussi sous le nom de *T. virginiana*), semblables à de l'herbe, forment de robustes touffes de 60 à 75 cm de hauteur. À certains intervalles le long des tiges, des grappes de fleurs à trois pétales, de 2,5 cm ou plus de diamètre, s'épanouissent tout l'été, chaque fleur ne vivant qu'un jour. Un certain nombre de cultivars procurent des couleurs dans les tons de bleu, de rose, de mauve, de marron, de rose pourpre ou de blanc. L'éphémère de Virginie se place dans les plates-bandes et les bordures ou dans les jardins forestiers naturels.

■ **CULTURE ET SOINS** Cette plante est résistante, elle vit longtemps et accepte des conditions variées. Elle est facile à cultiver en plein soleil ou à l'ombre légère, dans un sol bien drainé de pauvre à moyen. Coupez les tiges au sol au milieu de l'été stimule une nouvelle croissance et la floraison automnale. Espacez les plants de 45 cm. Rustique à -34°C.

■ **PROPAGATION** Divisez au printemps ou à l'automne, pour contrôler la plante au besoin.

■ **INSECTES NUISIBLES ET MALADIES** Rarement ennuyée.

Tradescantia x andersoniana

Veronica teucrium 'CRATER LAKE BLUE'

VERONICA

VÉRONIQUE

Les habitudes de croissance de la véronique vont des formes basses et rampantes aux types droits et fournis, mais tous ont des hampes florales pointues dans les tons de bleu comme de pourpre, rose, rouge ou blanc qui sont excellentes pour la coupe. Plusieurs sortes sont des vivaces nécessitant un entretien minimal, et dont la floraison est longue, propices à la fois pour garnir l'avant ou le centre des plates-bandes et des bordures.

■ **ESPÈCES, VARIÉTÉS ET CULTIVARS** Une des meilleures est la 'Crater Lake Blue', un cultivar de la véronique de Hongrie (*V. latifolia* connue aussi sous le nom de *V. teucrium*). Elle s'étend un peu, possède des fleurs de 12 mm bleu marine, à la fin du printemps ou au début de l'été, sur des plants de 30 cm de hauteur avec des feuilles dentées, étroites et vert foncé. La véronique basse, laineuse (*V. incana*) est garnie de feuilles gris argenté en touffes de 15 cm et ayant des tiges de 30 à 45 cm aux fleurs de 6 mm bleu lilas, en été.

La meilleure forme de véronique de plage est la *V. longifolia* 'Subsessilis'. Elle forme des touffes de tiges solides de 60 cm aux feuilles dentées, pointues et aux hampes florales densément regroupées arborant des fleurs de 12 mm bleu royal, qui fleurissent du milieu de l'été à l'automne. La véronique éperon (*V. spicata*) atteint 30 à 45 cm de hauteur et ses hampes florales bleu vif portent des fleurs de 6 mm durant l'été.

■ **CULTURE ET SOINS** Elle vit longtemps et pousse bien en plein soleil, mais tolère l'ombre légère. Elle a besoin d'un sol moyen, bien drainé. Un sol mal drainé en hiver est souvent fatal à cette plante. Enlevez les éperons floraux fanés pour prolonger la floraison. Espacez les plants de 30 à 45 cm, un à un ou en groupes de trois. Rustique à -34°C.

■ **PROPAGATION** Divisez au printemps ou à l'automne, tous les quatre ans.

■ **INSECTES NUISIBLES ET MALADIES** Rarement ennuyée.

VIOLA

VIOLETTE, PENSÉE

LES PETITES VIOLETTES ET LES PENSÉES ont été cultivées et aimées depuis des siècles. Parmi les centaines d'espèces et les nombreux cultivars, certains sont des mauvaises herbes et d'autres sont des plantes rares, dignes du jardin du collectionneur. Quelques espèces peuvent être choisies pour être plantées à l'avant d'une plate-bande ou d'une bordure, dans un jardin de fleurs sauvages, comme revêtement de sol ou le long d'une allée. Les fleurs peuvent servir de minuscules bouquets.

■ **ESPÈCES, VARIÉTÉS ET CULTIVARS** Cornée ou aigrettée, la violette (*V. cornuta*) forme des plantes bien ordonnées de 15 à 20 cm de hauteur, ornées de fleurs de 2,5 cm violettes, marron, abricot, pourpres, jaunes ou blanches, épanouies tout l'été en plein soleil, dans des endroits où les étés sont frais et humides. Dans les endroits plus chauds, la plante croîtra et fleurira bien avec un paillis d'été et une ombre légère. Rustique à -23°C. La violette bleue de marais (*V. cucullata*) pousse à 30 cm de hauteur et forme lentement de grandes étendues par ses racines en rhizomes qui s'étalent. Elle fleurit tard au printemps et tôt à l'été, avec des fleurs de 12 mm de couleurs variées, selon le cultivar. Rustique à -34°C. La violette douce (*V. odorata*) fleurit au printemps, sur des plants de 20 cm qui s'étendent sur de longues tiges appelées traînantes ou coulantes. Les fleurs pourpres, blanches ou rose foncé ont habituellement moins de 2,5 cm de diamètre et un parfum délicat. Rustique à -23°C. La *V. tricolor* atteint 30 cm de hauteur avec des fleurs de 12 mm tricolores, pourpres, jaunes et blanches, allant du printemps au début de l'été, sur des tiges minces et rampantes. Elle vit peu longtemps, mais se réensemence facilement et pousse autant en plein soleil qu'à l'ombre légère. Rustique à -34°C.

■ **CULTURE ET SOINS** La majorité des types poussent bien à l'ombre légère, à l'exception de ceux dont l'indication diffère. Un sol moyen ou riche en humus, humide mais bien drainé est préférable. Espacez les plants de 30 cm.

■ **PROPAGATION** Semez. Divisez au printemps.

■ **INSECTES NUISIBLES ET MALADIES** Limaces; mites.

Viola tricolor

INDEX